DR. FRANK R. SCHWEBKE

Adelgazar con la cabeza

- Con sencillas técnicas mentales
- Así conseguirás adelgazar con el mínimo esfuerzo

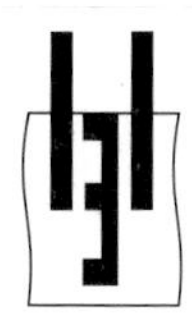

HISPANO EUROPEA

Índice

SOC

Prólogo

Si tiene este libro en sus manos es probable que ya haya realizado algunos intentos para alcanzar su figura soñada. Y no es precisamente la única persona que lo desea. El setenta por ciento de las mujeres no se sienten a gusto con el aspecto de su cintura, sus caderas y sus muslos y consideran que están «demasiado gordas». Paro también hay cada vez más hombres que se preocupan por su exceso de grasa. ¡Y no es raro que así sea! Aparte de que adelgazar realmente sea muy útil para la salud, «perder grasa» también tiene un gran significado simbólico en nuestra sociedad actual: es señal de dinamismo, felicidad y poder, tanto físico como mental. Las investigaciones realizadas al respecto demuestran que las personas delgadas no solamente son las más solicitadas, sino que se las considera más atractivas, más eróticas y en general tienen más éxito en su profesión que las gruesas.

El problema: muchas personas que desean adelgazar suelen pasarse años siguiendo caminos equivocados. Se torturan con todo tipo de dietas, les aterroriza mirar la báscula de reojo y renuncian a los placeres y a disfrutar de la vida. Además, sufren esta frustrante experiencia: todo ese sufrimiento no sirve para nada. Después de seguir la enésima dieta «garantizada», el efecto yoyó hace que la grasa vuelva a acumularse en la barriga y en las caderas más deprisa que antes.

¿Existe alguna solución? ¡Sí! Y es ésta: ¡Imagínese delgada! Y es que adelgazar es algo que acontece en la mente. El único modo de conseguir vencer para siempre la obesidad consiste en programar la mente y los sentidos para sentirse «delgada». ¿Que cómo se hace? Pues muy sencillo. Los ejercicios mentales que se proponen en este libro constituyen un programa paso a paso que le permitirá poner a trabajar a sus células grises y hacer que su mente actúe internamente para hacerla adelgazar –y de repente sucederán muchas cosas positivas en y alrededor de usted–. Vivirá las experiencias más sorprendentes: sus hábitos alimenticios cambiarán automáticamente (ya no le apetecerán las cosas que engordan) y cada vez tendrá más ganas de hacer ejercicio físico. Y este libro también le mostrará cómo aprovechar ambos fenómenos para hacer que su grasa desaparezca para siempre.

Dr. Frank R. Schwebke

La fuerza del pensamiento

Todo se decide en el cerebro, tanto el estar activo como el mostrarse apático, ser feliz o sentirse triste, estar relajado o en tensión. Pero también es el cerebro el que decide cuál va a ser su figura. El cerebro regula la producción hormonal y las hormonas no sólo actúan sobre los pensamientos y los sentidos, sino que también regulan el metabolismo y controlan el apetito. Pero todo este proceso también funciona en sentido inverso: las sensaciones y los sentimientos influyen a su vez en los transmisores. Y esto es algo que podemos aprovechar: ¡Usted puede emplear técnicas mentales para imaginarse delgada!

Todo empieza en la cabeza

La top-model británica Sophie Dahl cosechó un gran éxito en las pasarelas de todo el mundo luciendo tallas grandes como modelo «gordita». Se movía con soltura entre la jet-set y tuvo ocasión de relacionarse con los personajes masculinos más famosos de su época como por ejemplo Mick Jagger, el líder de los Rolling Stones... y sin embargo no era feliz. A pesar de que su lema público era «la abundancia es hermosa, apetecible y feliz», ella se sentía muy descontenta con su figura. Y las consecuencias no tardaron en llegar: en el espacio de pocas semanas adelgazó espectacularmente y realizó un cambio radical de su imagen. Hoy dice que «¡Ahora es cuando realmente me siento feliz!».

Lo mismo fue lo que le sucedió a la actriz Veronica Ferres. En su película «Superwoman» atraía a los hombres con sus eróticas curvas. Pero en realidad no se sentía a gusto con ellas y decidió perder peso. Y su vida volvió a tomar un giro positivo. Actualmente es totalmente feliz con su marido y su hijo. Según ella, «Nunca me había sentido tan feliz». Y también ha progresado mucho como actriz: «Cuando estás más delgada eres más maleable y te puedes adaptar a una mayor variedad de papeles».

¿Más delgada = más feliz?

Aquí es donde surge la sospecha. ¿Existe una relación entre la buena figura y la felicidad? ¿Tienen más éxito las personas delgadas? O, planteando la pregunta al revés: ¿Son las personas felices más delgadas y, por tanto, más activas y más vivaces? ¿Y todo esto influye en el éxito? La respuesta es: «¡Sí!».

Las hormonas influyen en las sensaciones y en la figura

La neurología y la neuroendocrinología (ciencia que estudia las relaciones entre el cerebro y las hormonas) nos están empezando a mostrar en qué se basa la relación entre una figura estilizada y una vida psíquicamente equilibrada. El cerebro no solamente rige los pensamientos y las sensaciones, sino que influye en todo el cuerpo con mucha más fuerza de la que se suponía hasta ahora. Las personas equilibradas y felices consigo mismas tienen una mayor secreción de hormonas tales como la serotonina, que es la hormona de la felicidad. Pero la secreción de hormonas tales como la dopamina y la oxitocina también eleva el estado de ánimo e incide notablemente en barriga y ca-

El ejercicio físico es divertido y adelgaza

deras: nuestras propias hormonas de la felicidad no sólo nos hacen sentir como en las nubes, sino que desencadenan un complejo mecanismo hormonal que elimina las acumulaciones de grasa (los detalles los encontrará a partir de la página 29). Así es como los delgados siempre consiguen salir adelante, pues en nuestra sociedad ser delgado significa mucho más que tener un cuerpo bien formado. Los cuerpos ideales para ser lucidos en bikini (mujeres) o los abdominales bien definidos y las anchas espaldas (hombres) se han convertido en sinónimo de atractivo, reconocimiento y éxito.

...dos carreras más que mejoraron al adelgazar

Veamos otros dos ejemplos de estas afirmaciones: la conocida actriz norteamericana Jennifer Aniston es la prueba viviente de que los sueños pueden llegar a convertirse en realidad. Hizo furor en la popular serie «Friends» y actualmente cobra tres cuartos de millón de dólares... ¡a la semana! Ahora explica cómo logró alcanzar ese éxito. Todo empezó en el año 1993, cuando su representante le recomendó que adelgazase; al principio en contra de su voluntad: «Yo no estaba gorda, incluso tenía la figura de una diosa griega –era redondita, con anchas caderas y grandes pechos–. En principio, odio que el atractivo de una persona se tenga que medir en kilos». Pero, de todos modos, adelgazó. Y pronto le llegó esa oferta única para actuar en una serie sobre gente guapa y sus vidas –y amores– cotidianos. La fama (y la riqueza) ya no había quién las parase. Según ella misma: «Actualmente me encuentro mejor que nunca».

El «nuevo» Karl Lagerfeld, mucho más delgado.

También afecta a los hombres

Pero no sólo las mujeres se sienten mejor al adelgazar: a los hombres, el perder peso les ayuda a despegar en busca de metas más elevadas. El conocido diseñador de moda Karl Lagerfeld, que en setiembre de 2003 cumplió 65 años (aunque algunas malas lenguas afirman que hace tiempo que superó los 70), ha sido el protagonista de una de las más sorprendentes historias de adelgazamiento de los últimos años. El genio de la alta costura logró perder cuarenta kilos en tan sólo 12 meses. ¿Cuál es el secreto empleado por este veterano y barroco vividor para enviar a sus «michelines» al exilio?

Adelgazamientos sorprendentes

Muy sencillo: la revista *People*, líder de la prensa amarilla en Europa, publicó en exclusiva qué era lo que se ocultaba tras su deseo de reducir las caderas: ¡Era el amor! Lagerfeld se había enamorado locamente del diseñador Hedi Slimane y deseaba mostrarse más atractivo ante el joven. Así, «Karl el gordo» mutó hasta convertirse en «Karl el flaco». Actualmente puede ponerse sin problemas cualquier traje de diseño y se mueve con la grácil elegancia de un veinteañero. ¡Nos descubrimos ante ti, emperador Karl! En este ejemplo hay algo que está muy claro: cabeza y sentimientos forman un dúo imbatible cuando se trata de adelgazar de forma permanente. Mas vale tarde...

Más sexy y más sana

Estar delgada no solamente es adaptarse a un ideal de belleza actual, sino que implica un mayor atractivo y más alegría vital. Además, bajar kilos siempre es muy bueno para la salud.

La Organización Mundial de la Salud (OMS) ha declarado que la adiposidad, o sea la acumulación de grasas, debe considerarse como una epidemia a nivel mundial. La obesidad es más peligrosa que el SIDA, mucho peor que el SARS, la peste y el cólera juntos. En los países industrializados, cada año mueren mil veces más personas a causa de enfermedades derivadas de la obesidad que por todas las otras enfermedades citadas anteriormente.

Un país de gordos y pensadores

El número de obesos va en aumento

¿Es Alemania un país de gordos y de pensadores? Quizá. Pero lo que es seguro es que es el país de los pensadores gordos –y de algunos gordos que no son precisamente buenos pensadores. El caso es que la República Federal Alemana ocupa un incuestionable primer puesto en la lista de países con ciudadanos enfermos a causa del exceso de bienestar. Se ha convertido en un enclave para gordos. Incluso los niños cargan con un exceso de kilos que resulta perjudicial para su cuerpo (y para su mente): al empezar la enseñanza primaria, uno de cada cuatro niños tiene unas acumulaciones de grasa que no son precisamente las propias de su edad. ¿Y a quién puede sorprenderle? ¡Los adultos son un pésimo ejemplo para ellos!

En Alemania hay unos 46 millones de obesos. Las aseguradoras médicas, que además están pasando la peor crisis financiera de su historia, tienen que pagar cada año unos 100 millardos (miles de millones) de euros por enfermedades desencadenadas por la obesidad y por sus graves consecuencias, como arteriosclerosis, diabetes e infarto. Si fuese posible hacer adelgazar a los alemanes, que no sólo están cada día más gordos, sino también más enfermos, los problemas del sistema sanitario de su país se solucionarían de inmediato.

Asesinos: barriga y «cartucheras»

Graves riesgos para la salud

Algunas de las graves consecuencias de la acumulación de grasas son sobradamente conocidas por todos, aunque, por lo visto, el tener conciencia de ellas parece no ser capaz de animar a muchos obesos para que adelgacen. El caso es que la obesidad produce:

- Aumento de las concentraciones de grasa en la sangre, especialmente el colesterol LDL; lo cual tiene como consecuencia:
- Calcificación de las arterias (arteriosclerosis); que a su vez produce
- Infarto y
- Colapso.

Además, las personas obesas son más propensas a:

Un grave riesgo para la salud

- Hipertensión; y ésta a su vez aumenta dramáticamente el riesgo de ataques, infartos y otras enfermedades cardiovasculares. Otras consecuencias «clásicas» de la obesidad son
- Diabetes, gota y reuma, así como las caries.

La sobrealimentación unida al sobrepeso y la falta de ejercicio produce una situación de riesgo especialmente peligrosa para la salud: el «síndrome metabólico». Este trío de enfermedades que se ven favorecidas por las acumulaciones de grasa en la barriga y las caderas son la hipertensión, el aumento de grasa en la sangre y la diabetes mellitus (enfermedad del azúcar).

Unos estudios realizados en la Harvard Medical School de Boston demostraron que basta un sobrepeso de 5 kilos para aumentar en un 25% el riesgo de que se taponen los vasos sanguíneos del miocardio y de que se sufra el consiguiente infarto. Si son 9 kilos, aumenta en un hermoso 60% el riesgo de sufrir un infarto de coronarias, que es como los médicos denominan al estrechamiento de estas importantes arterias. Algunos estudios muy recientes nos muestran que la obesidad también supone unos riesgos que no se habían tenido en cuenta hasta ahora:

- La sangre rica en grasas se coagula con más facilidad. Esto hace que aumente el riesgo de que se produzcan coágulos y se sufra una trombosis.
- En los hombres, un sobrepeso de tan sólo cinco kilos hace aumentar el riesgo de cáncer en un 22%, ¡mientras que en las mujeres asciende hasta el 43%!

Más molestias físicas

Actualmente también sabemos que las personas obesas sufren con más frecuencia dolores de cabeza, impurezas de la piel, infecciones de la vesícula biliar y de la mucosa intestinal así como otros problemas digestivos. Incluso una enfermedad tan peligrosa como el cáncer de colon ha resultado ser más frecuente en las personas obesas que en las que tienen un peso normal.

Sibaritas sin placer

Y todavía una advertencia más para todos esos pesos pesados que insisten en que son unos sibaritas: dos de cada tres obesos tienen problemas sexuales. Pero eso no se debe a que las personas gruesas puedan moverse menos en la cama y a que algunas posiciones y fantasías queden totalmente fuera de su alcance por motivos meramente anatómicos, sino a que su producción de hormonas sexuales es más baja. Consecuencia inmediata: ¡A menos libido, menos ilusión por el sexo! Y además, en las mujeres la excitación sexual puede descender incluso hasta llegar a la frigidez, y la capaci-

Las personas delgadas suelen disfrutar más del sexo

dad de erección de los hombres puede acercarse a la impotencia. ¿Necesita aún más argumentos para animarse a combatir esos kilos de más?

¿Qué significa exactamente estar «demasiado gorda»?

¿Cómo se mide exactamente la obesidad o la delgadez? Por supuesto, depende de la apreciación subjetiva de cada persona. La actriz norteamericana Kate Winslett (con una silueta evidentemente generosa), que protagonizó la película «Titanic» explotó una vez ante los periodistas gritándoles: «¡De una vez por todas, yo no considero que esté gorda!». ¡Estupendo! Porque a los demás no tiene por qué importarles cuál es la figura que usted considera ideal para sí misma. Usted es totalmente libre para decidir si quiere ser más delgada –y para siempre–.

El índice de masa corporal lo corrobora

De los 46 millones de alemanes obesos, un 20 % tienen un Índice de Masa Corporal (IMC) entre 30 y 40, ¡y más del 3 % lo tienen superior a 40! Es decir, son enormemente gordos. Pero aquí no vamos a ocuparnos de estas personas tremendamente obesas. Naturalmente, con semejante cantidad de tejido adiposo corren un terrible riesgo de sufrir infartos y ataques. Pero,

¿Kilos de más o de menos?

Actualmente, los métodos antiguos para determinar el «peso normal» (altura en centímetros menos 100) o el «peso ideal» solamente tienen significado histórico.

Al calcular su Índice de Masa Corporal (IMC) sabrá si ha de adelgazar un poco o si, al contrario, le faltan un par de kilitos.

Así es como se calcula el IMC:

Peso corporal (en kilos) dividido por el cuadrado de la altura (en metros).

Por ejemplo, si usted mide 1,70 m y pesa 60 kg, su IMC será:

$$\frac{60}{1{,}7 \times 1{,}7} = 20{,}8$$

Los IMC se ordenan según la siguiente escala:

- Menos de 19 = falta de peso
- 19 a 25 = delgadez ideal
- 25 a 30 = ligero sobrepeso
- más de 30 = sobrepeso

¿qué sucede con los millones de personas que se encuentran en una posición intermedia, las que se encuentran en plena forma con un IMC de 28, o incluso de 32? ¿Hay que obligarlas a adelgazar enérgicamente, a contar calorías todo el día, a no inmutarse por los ataques de hambre y a ignorar los ronroneos del estómago? ¡Ni en broma!

¿Qué peso le haría ilusión tener?

Tenemos que regirnos por otro criterio. Un mejor baremo sería el peso que le haría ilusión tener, o bien: su peso sexy ideal. Si se siente a gusto en su piel (con un poquito de grasa de más o de menos) y las revisiones médicas le dan luz verde, si por la mañana inicia la jornada con alegría, si sonríe al mirarse en el espejo, si cumple su jornada laboral con energía y por la noche disfruta de una cena con velas en compañía de su pareja o de unos amigos,

El bienestar es decisivo

entonces, ¡por favor! ¿Qué es lo que quiere cambiar?

Pero si ya no se tolera tal y como es, si prefiere no ver su imagen reflejada en los escaparates de las tiendas, si se desespera al abrir sus armarios y ver que ya nada le entra o que las ropas que tan «discretamente» disimulan sus redondeces son las que le cuelgan del cuello, es señal de que la cosa ya no puede seguir así. ¡Ha llegado el momento de efectuar un cambio!

¿Pero cómo hay que hacerlo?

¿Cuál es el camino que conduce a la meta (delgada)? ¡Naturalmente, la mayoría de dietas seguro que no!

Seguir «dietas» irracionales

Dietas drásticas sin sentido

Lo que está claro es que ya hace tiempo que sabemos que no hay elefantes rosas que vuelen ni pueden llover billetes de cien euros. Y ganar un Oscar también es algo casi imposible para la mayoría de nosotros.

¡Finalmente va a poder ponerse su ropa favorita!

Pero en muchos de nosotros, cuando oímos la palabra «dieta» se desencadena un reflejo –y concretamente el reflejo de desconexión mental–. De lo contrario, ¿cómo podríamos explicarnos que cada primavera nos asalten con infinidad de nuevas dietas milagrosas que nos prometen «Doce kilos menos en diez días» o «Figura ideal en tres semanas»? Y, por supuesto, todo ello sin ningún esfuerzo y sin prescindir de aquello que nos gusta (y que nos engorda). Además, naturalmente, todo aquello que se ha ido acumulando a lo largo de meses o, mejor dicho, años, desaparecerá sin problemas y por sí solo. Obviamente, todos sabemos que esto no es posible. Pero, ¿y si ésta fuese una excepción...? Muchas personas vuelven a poner sus esperanzas y entonces (naturalmente) vuelven a sentirse decepcionadas.

Otras se pasan la vida probando métodos para adelgazar. Entre su repertorio de horrores se encuentran instrucciones para adelgazar pegadas en la puerta de la nevera así como listas de determinados alimentos (¡peligrosos!) y golosinas, e incluso largas horas sudando en la máquina para correr –por si en algún momento hubiesen caído en la tentación de comer un par de caramelos–.

Pero las dietas no sólo torturan a los obesos, que la mayoría de las veces no se sienten felices de sí mismos, con todo tipo de privaciones y esfuerzos, sino que además son un engaño. Por una parte obligan a estar siempre pendientes de la báscula y, por otra, hacen creer que todo gira únicamente en torno a la comida. Al cabo de poco tiempo empiezan a surgir las primeras dudas: ¿Funcionará esta vez? ¿Después de tantos esfuerzos inútiles? ¿A pesar de que después de la última dieta drástica el efecto yoyó hizo que mis caderas fuesen mayores que nunca...?

Efectos opuestos

Todo esto no contribuye precisamente a aumentar la alegría vital sino que –peor aún– acaba por destruir la autoestima. Después de probar sin éxito unas cuantas dietas, incluso las personas con una figura más que aceptable acaban teniendo la sensación de que son unas fracasadas. Y esto no sólo hace aumentar la frustración, sino que también puede añadir algunos kilos. Un círculo vicioso.

Un fracaso anunciado

Dietas: por la noche, el hambre ataca de nuevo

Para muchas de las que se sienten obesas, su lucha contra la grasa enemiga siempre sigue el mismo plan estratégico a pesar de que siempre acaba fallando del mismo modo: empezar por bajar algunos kilos a base de ayuno y abstinencia. Luego toca sufrir los ataques de apetito compulsivo y mantener a raya los kilos recurriendo a todas las reservas físicas y psíquicas hasta llegar a los límites del ascetismo. Y total, para luego acabar cediendo al apetito y que los kilos vuelvan a acumularse en menos tiempo del que hizo falta para desterrarlos... Más o menos así es como suelen suceder las cosas. Muchas veces se ganan numerosos combates contra la grasa, pero la batalla definitiva contra los kilos de más se pierde sin remedio. Y no po-

> Si después de seguir una dieta se vuelve a recuperar el peso perdido (que es lo que suele suceder), éste no vuelve en forma del tejido muscular perdido, sino de grasa, ya que al organismo le es mucho más fácil producir tejido adiposo que muscular. Pero el tejido muscular es muy importante para una figura estilizada: los músculos consumen mucha energía al activarse. Son ellos los que, al moverse, consumen las reservas de grasa y las hacen disminuir.

dría ser de otro modo. Porque el organismo dispone de buenas defensas contra la pérdida de peso:

- **Genes primitivos:** La respuesta de nuestro organismo ante el exceso de alimentos es muy primitiva, y no ha cambiado desde el *homo antecessor* de Atapuerca. Desde hace millones de años, el metabolismo está programado para almacenar el exceso de energía en forma de reservas de grasa y a no consumirlas con rapidez. Es una característica genética que nos acompaña desde los tiempos más remotos y que entonces era perfectamente lógica. En las épocas de escasez, la supervivencia dependía de las reservas que tuviera el organismo hasta que volviese a ponerse a tiro algún mamut. Pero este primitivo método de almacenamiento de energía conduce al temible

Los excesos de calorías se guardan

- **Efecto yoyó:** Si después de seguir una dieta el cuerpo sigue acostumbrado a un mínimo de calorías y su metabolismo funciona bajo mínimos, la persona que hasta ahora había conseguido ayunar, siempre que sea normal, no sólo recuperará su peso inicial en un mínimo de tiempo, sino que sus células grasas aprovecharán cualquier oportunidad para llenarse lo antes posible. El resultado es que la persona no tardará nada en ser incluso más obesa que antes.

Ningún otro hábito alimenticio

- **El sistema límbico:** El centro emocional del cerebro se encarga de que en la memoria solamente se graben los hechos realmente importantes. Ante las pautas de comportamiento forzadas y que uno realmente rechaza, el sistema límbico reacciona de un modo muy sencillo: borra las «nuevas» informaciones alimentarias en cuanto dejan de ser actuales –es decir, tras acabar la dieta–. Además, el sistema límbico califica la dieta como una «etapa poco satisfactoria de la vida» y transmite al hipotálamo (el centro de regulación hormonal) la señal de que es necesario que las cápsulas adrenales empiecen a segregar cortisona. Y esto tiene unos «efectos secundarios» que resultan nefastos para la figura.

Es peligroso cambiar frecuentemente de peso

¡La báscula miente!

La pérdida de peso producida por una dieta puede conducir a engaño. En todas las dietas de adelgazamiento, incluso en las que incluyen muchas proteínas, se consume masa muscular. Así se pierde peso, pero no de grasa, ¡sino de musculatura! Y el tejido muscular pesa más que el tejido adiposo. Por lo tanto, si usted hace ejercicio y gana musculatura, su báscula le engañará diciéndole que ha engordado. La báscula solamente indica las fluctuaciones de peso, pero no de grasa. También puede dispararse hacia arriba por una simple retención de agua causada por una comida demasiado salada o por la menstruación.

Los músculos se consumen

- **Cortisol:** Esta hormona del estrés constante y de la frustración hace engordar porque actúa a nivel del metabolismo de los azúcares, hace que el cuerpo acumule grasa y destruye la masa muscular. Por tanto, si una dieta le resulta desagradable y estresante, el primero en actuar será el hipotálamo. ¡El efecto «obesidad por frustración» está garantizado!

¡Ponerse a régimen también hace enfermar!

Pero no es sólo que las curas de ayuno a la larga hagan engordar y perder la motivación, ¡las dietas también pueden resultar perjudiciales para la salud! Subir y bajar de peso aumenta el riesgo de sufrir enfermedades cardiovasculares o cáncer. El caos dietético que sufre el organismo hace bajar el colesterol HDL (el colesterol «bueno») que es el que protege al corazón y los vasos sanguíneos de la arteriosclerosis. Al mismo tiempo aumenta el colesterol LDL, que es el perjudicial y que se acumula en las paredes de los vasos sanguíneos. Los investigadores del Medical School de Pittsburg descubrieron que si el peso aumenta y desciende con frecuencia también se daña el sistema inmunitario. Y por tanto, el organismo tiene menos defensas para combatir los gérmenes patógenos y las células cancerígenas. Pero esto no es lo único malo de muchas dietas. Muchas veces, lo que se anuncia es simplemente falso. Es una estafa.

Seis pruebas concluyentes

¿Quiere pasar hambre y sentirse fatal? Entonces siga las directrices de las siguientes dietas. He aquí una pequeña muestra del variopinto mundo de las dietas «maravillosas».

¿Adelgazar gracias a las bacterias?

Dieta de las bacterias: Existe una «nueva y sensacional dieta bacteriana» que promete perder doce kilos en tres semanas. Y se supone que funciona de este modo: se ingieren unas cápsulas dietéticas que contienen unas bacterias que se mezclan con la flora intestinal normal y hacen que ésta (de algún modo) empiece a generar vitaminas, enzimas y aminoácidos. Según sus inventores, estas sustancias aspiran la grasa de las acumulaciones adiposas. Naturalmente, se puede seguir comiendo como antes. La DGE (Sociedad Alemana para la Nutrición) indica explícitamente que se trata de una «absoluta estupidez». Las bacterias que integran la flora intestinal están tan adaptadas a sus complejas funciones que lo único que pueden hacer las cápsulas bacterianas es molestarlas. Y, naturalmente, el pretendido «efecto aspiradora» es pura imaginación.

Dieta de los grupos sanguíneos: Gordo o delgado, todo depende del grupo sanguíneo –o al menos eso es lo que afirma el médico naturista americano Peter d'Adamo–. Según él, para perder peso basta con alimentarse de acuerdo con el propio grupo sanguíneo. El que no lo haga, no sólo se arriesga a engordar irremediablemente, sino que también corre el peligro de que en sus vasos sanguíneos se generen unos peligrosos trombos. Los expertos que hemos consultado califican esas teorías con claridad meridiana: «¡Son una tontería!» Según estas ideas, cada día deberían morir de trombosis miles de

Las verduras crudas solas no llenan ni hacen feliz a nadie

Recomendaciones sin lógica alguna

personas (de todos los grupos sanguíneos). Por otro lado, aconseja que, además de las verduras hay que alimentarse principalmente de carne (grupo 0) sin tener en cuenta que un exceso de carne hace ingerir abundantes grasas ocultas. Y éstas siempre hacen engordar. Por no hablar de la gota, que es una enfermedad metabólica causada por consumir un exceso de carne y que en este caso estaría programada de antemano. Y aconsejar a las personas de determinados grupos sanguíneos que se abstengan totalmente de consumir marisco es, a nivel científico, una total insensatez.

- **Dieta de Buchinger:** Ahora es cuando los seguidores incondicionales de este método van a poner el grito en el cielo, pero... la cura de ayuno de Otto Buchinger solamente es recomendable para aquellas personas que deseen dar un giro ascético a su existencia, aunque no es nada recomendable como «dieta» para quienes deseen seguir llevando una vida normal. En este ayuno, que supone un periodo de vacaciones para todos los órganos, no se come prácticamente nada. Se bebe un poco de zumo de verduras, de suero de leche y alguna que otra infusión. Entre estas bebidas se toma un poco de sal de Glauber para evacuar (peligro de pérdida de potasio –¡puede ser mortal!–). Pero lo que es adelgazar, adelgaza. Consumiendo de 100 a un máximo de 300 calorías diarias seguro que se pierde peso. Pero también se produce un estado carencial de nutrientes. El metabolismo funciona como en las personas que sufren una desnutrición extrema –absurdo–. ¡Y el efecto yoyó tampoco se hará esperar!

Gota a consecuencia de la dieta

- **Dieta de la L-carnitina:** Según esta dieta, hay que consumir la mayor cantidad posible del aminoácido L-carnitina, porque destruye las grasas. Por tanto, ponga en su menú principalmente carne de cordero y de ternera, ambas ricas en carnitina naturalmente, no se olvide de comprar las cápsulas de carnitina que vende el inventor de este método... La opinión de los expertos: «Es cierto que la carnitina participa en el proceso de degradación de las grasas, pero en una dieta equilibrada se encuentra en cantidades más que suficientes.

¡Ocho de cada diez alemanas se torturan a sí mismas!

El setenta por ciento de las mujeres entre 35 y 55 años están descontentas con su figura (incluyendo aquellas a las que las otras miran con envidia), y ocho de cada diez alemanas siguen una dieta por lo menos una vez en su vida.

Un exceso de carnitina no eliminará más grasas, sino que será excretado». Y la recomendación de alimentarse casi exclusivamente a base de carne de cordero y de ternera es más que dudosa. El cordero contiene purinas que causan la gota. Por tanto, si sigue esta dieta no tardará en sufrir su primer ataque de gota.

¡Demasiada grasa!

▶ **Dieta de rotación:** Aquí sí que va a dar vueltas. La inventora de este método parte de la peregrina idea de que la obesidad es una intolerancia a los alimentos, algo así como una alergia. Esto no sólo es un planteamiento absurdo, sino que por lo visto se trata también de un método para personas sin fuerza de voluntad, porque aquí todo está permitido: se pueden ingerir 2.700 calorías diarias incluyendo 140 gramos de grasa y una buena ración de ácidos grasos saturados. Lo importante es que nada pueda provocar alergia. Los expertos en nutrición se ríen de todo esto. Si quiere engordar aún más y a la vez garantizarse una buena arteriosclerosis, entonces... ¡buen apetito!

La fruta le apetecerá por sí sola

▶ **Cura de Schroth:** Los herederos del carretero Johann Schroth (nacido en 1798) aún discuten acerca de las distintas aplicaciones de este método. Johann Schroth lo empleó para curar una herida de rodilla y desde entonces lo consideró un remedio universal. El núcleo de este método es una compresa caliente que hace que se evaporen todos los «detritos» y toxinas. Por lo demás, es un método ideal para ascetas con tendencia al alcoholismo. Ingiriendo diariamente menos de 1.000 calorías cualquiera puede adelgazar, pero también sufre una dramática pérdida de sustancias vitales. Y algunos días se permite ingerir hasta un litro de vino blanco, lo que ya es una buena cantidad, y no sólo durante el tratamiento. Por supuesto, si está ligeramente ebria seguro que incluso será capaz de tolerar una dieta como ésta.

Ahora ya sabemos qué es lo que puede funcionar. ¿Pero qué es lo que realmente nos hace adelgazar?

¡Adelgazar empieza en la cabeza!

Todos los ejemplos que hemos comentado hasta ahora nos permiten ver algo con claridad: para adelgazar de forma duradera no sirve de nada mortificarse, controlar, ayunar y prohibir. Para reducirlo todo a un común denominador: ¡Estar delgada empieza en la cabeza! Lo decisivo es lo que se ordena desde el centro de control de arriba. Porque perder esos kilos para siempre es algo que depende de la motivación, del estado de ánimo, de los pensamientos y sensaciones, ¡pero también de las hormonas!

Esto adelgaza

Básicamente se trata de una reacción en cadena para adelgazar: lo que sucede en la cabeza y en la mente actúa sobre el centro de felicidad del cerebro y repercute en los «laboratorios hormonales» del organismo. Y las hormonas, esos eficaces transmisores, vuelven a influir en el cerebro y en los sentidos. Veamos a continuación algunos de los factores que realmente hacen que los kilos se fundan:

Sencillamente, sin hambre

- **Hormonas:** No sólo pueden hacer engordar (insulina y cortisona), sino que también adelgazan. La serotonina (hormona de la felicidad, la HGH (hormona «Schwarzenegger»), la dopamina (hormona gratificante) y la dehidroepiandrosterona (la hormona de moda), todas ellas mantienen a raya al cortisol. Y le comunican al centro del hambre: «No hay nada que hacer».
- **Buen humor:** Cuando una persona se siente feliz aumenta su nivel de serotonina en la sangre. No sólo se siente flotar a lo largo del día, sino que tampoco tiene hambre... ¿Ha notado alguna vez la sensación de tener mariposas revoloteando por su estómago? Ahí no cabe ya ni un filete ni unos dulces. En este caso, el hipotálamo (que es el órgano que regula el funcionamiento hormonal) recibe del cerebro la señal de «¡Todo en orden! Estoy saciado y me siento feliz».
- **Meditación:** La relajación hace bajar el nivel de cortisol en la sangre y esto hace que se pierda peso.
- **Verse delgada:** El cerebro forma a la persona, gracias a las hormonas, a su (propia) imagen y semejanza. Por tanto, si desea adelgazar deberá empezar por valorar su autoestima.
- **Oxígeno:** Los ácidos grasos se queman con el oxígeno, que hace de carburante. Por esto es necesario hacer ejercicio. Y esto funcionará más fácilmente si lo consideramos como una diversión.

Adelgazar gracias al sexo

- **Sexo:** Es el mejor de todos los métodos para eliminar grasas. No sólo por el ejercicio físico, sino sobre todo por la hiperactividad hormonal que se desencadena con una actividad tan placentera: el organismo segrega a un mismo tiempo testosterona (hormona sexual), dopamina (hormona gratificante y del placer), oxitocina (hormona de las caricias y del orgasmo)... Y todas estas sustancias son adelgazantes.
- **Rituales:** En las culturas occidentales entendemos por rituales las celebraciones de acontecimientos de una determinada importancia personal. Los rituales que se celebran con alegría transmiten felicidad y seguridad... y adelgazan, pues reducen la secreción de cortisol y estimulan la de dopamina y serotonina.
- **Visualización:** Los viajes imaginarios por su mundo visual interior hacen aumentar el nivel de las hormonas de la felicidad a la vez que inhiben a las que hacen engordar. Y esto es algo que está científicamente comprobado.

Esto engorda

En caso de estrés, muchas personas se lanzan a por los dulces

Pero para poder conservarse delgada también es necesario que sepa qué es lo que la hace engordar. Naturalmente: el exceso de golosinas, de embutidos, de grasas y de dulces se acumula en la barriga, en las nalgas, en los muslos y en las caderas. Y si además no hace el suficiente ejercicio como para consumir semejante exceso de energía, entonces casi podrá ver a simple vista cómo las células grasas van creciendo. Pero tampoco es todo así de sencillo. Lo que nos incita a comer no es sólo el hambre. La mente también nos impulsa a picar, mordisquear, engullir y tragar. Su papel es decisivo a la hora de decidir si adelgazamos o si engordamos.

También hay causas psíquicas

¿Quién no se ha dado cuenta de que cuando nos invade el aburrrimiento, la tristeza, el estrés o la desesperación tenemos una insaciable necesidad de comer chocolatinas, patatas fritas, pizza, lasaña, etc.? La mente necesita que la cuiden y sugiere: «¡Come algo sabroso y te sentirás mejor!» Pero es-

SUGERENCIA

Deje de contar calorías. Eso no sirve para nada, ¡al contrario! Los estudios demuestran que los que ayunan en exceso adelgazan mal porque no ingieren nutrientes básicos. Consecuencia: no sólo se ralentiza todo el metabolismo, sino muy especialmente los procesos encargados de quemar las grasas.

to no es suficiente. Si la psique está a media asta surgen los remordimientos, baja el tono general y se produce un estado de estrés que influye en la producción hormonal afectando a la figura. ¿Qué es lo que hace que se acumulen los kilos? Veamos cuáles son algunos de los factores (además de las dietas) que hacen engordar:

- **Miedo:** Si constantemente tiene miedo a engordar, se pasará el día pesándose en la báscula, ¡y eso estresa! Una consecuencia desagradable: las glándulas adrenales secretan cortisona (la hormona del estrés), y ésta a la larga hace engordar.
- **Una «gruesa» biografía:** ¿Malos ejemplos en la infancia? ¿Padres gordos y un entorno social en el que se comía hasta la saciedad y en el que siempre te decían que «comer mucho te sentará bien»? Esto suele calar más hondo de lo que creemos y al llegar a la edad adulta tenemos que luchar contra ello. Además, los que han sido gordos de niños tienen todas las probabilidades de seguir siéndolo (o volver a serlo) de adultos.
- **Falsos esquemas mentales:** La báscula es un instrumento de tortura que obliga a crearse un esquema mental de gorda–delgada que a la larga acaba con su autoestima y con su buen humor. También bloquea la secreción de hormonas tales como la serotonina, la dopamina y las endorfinas.
- **Frustración:** Las personas que constantemente están insatisfechas con su vida producen menos serotonina (la hormona de la felicidad). Y ésta es precisamente una de las principales hormonas adelgazantes porque el centro de saciedad del cerebro también transmite: ¡Estoy satisfecho, de momento no necesito nada más!

Todo sucede en la cabeza

- **Verse redondita:** Si se tiene a sí misma por gorda y se pasa el día preocupada por ello, se creará una espiral de emociones e ideas negativas. Y el conjunto se convertirá en lo que los anglosajones denominan «self-fulfilling prophecy», es decir, una profecía que se cumple por sí misma. ¿Qué cómo sucede? Las emociones influyen directamente en el hipotálamo y éste estimula la secreción de las hormonas que hacen engordar.

Los pensamientos negativos engordan

En la parte práctica verá las sorpresas que nos reserva la mente cuando se trata de acolcharse con grasa para protegerse del entorno.

El principio de «imagínese delgada»

La vida sucede en el cerebro. Lo que usted piensa, cómo se siente, cómo ve el mundo: tanto si se siente optimista y se enfrenta a los retos de la jornada con nuevas ideas como si está agotada y se hunde en la rutina cotidiana. Si salta de alegría y de felicidad o si se siente el ser más desgraciado del mundo y preferiría esconderse debajo de las sábanas. Y su cerebro también decide esto: si usted come exactamente aquello que le conviene, lo que le permite adelgazar y conservar la figura a largo plazo. Esta aptitud del cuerpo para controlar el comportamiento (emocionalmente) desde el cerebro y de forma instintiva es lo que se denomina «inteligencia somática».

Imaginarse delgada

¿Influir mentalmente en la figura?

Es posible sumirse en un sueño a voluntad

Mediante el programa mental para adelgazar se consigue aprovechar esta inteligencia somática. Imaginarse casi delgada, al principio suena a tonte-

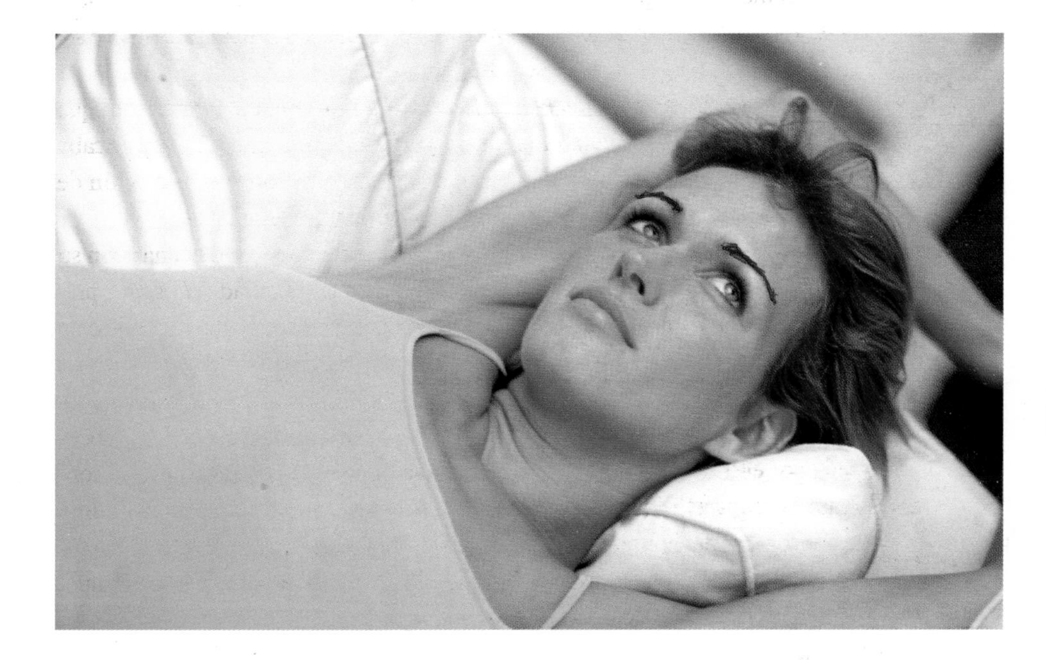

ría, y sin embargo ¡Funciona! ¿Cómo sucede? A base de emplear las técnicas mentales para cambiar las pautas psíquicas y de comportamiento tales como una falta de autoestima (verse demasiado gorda), así como para modificar los hábitos alimenticios adquiridos en la infancia.

En el método de «imagínate delgada» cuentan tanto los pensamientos positivos como las afirmaciones, frases clave positivas que definen el comportamiento y las vivencias en la vida cotidiana, como por ejemplo «Voy a lograr lo que me propongo». En este repertorio de técnicas mentales se incluyen también la autohipnosis y las visualizaciones tales como las «ensoñaciones dirigidas». Se trata de lograr avanzar haciendo trabajar la mente. Por ejemplo, imagínese paseando junto al mar. Con cada profunda inspiración inhala una gran cantidad de oxígeno que quema la grasa de sus caderas. También resultan increíblemente útiles las fórmulas tales como «¡Me quiero a mí misma con todas mis fuerzas!», o bien «¡Soy delgada, feliz y libre!» Por muy banales que parezcan estas frases, empleadas como técnicas mentales de autosugestión se convierten en fórmulas mágicas para adelgazar y ser feliz. El principio en que se basan: si se repiten rítmicamente determinadas ideas y expresiones a lo largo de un cierto tiempo, éstas primero se almacenan en el consciente y más tarde se graban en el subconsciente.

Pasear mentalmente por la orilla del mar y respirar el aire puro

La respuesta nos la da la psiconeuroendocrinología

Los faquires de la India que no sienten dolor al acostarse sobre un lecho de clavos son la mejor prueba de que la fuerza de la mente es casi mágica. Y también pueden hacer algo aún más sorprendente: ante los atónitos ojos de los espectadores, algunos de ellos se perforan las mejillas con grandes agujas sin que salga ni una gota de sangre. De acuerdo, no son unos ejemplos muy agradables, pero sí que son claros. Y usted se preguntará qué es lo que tiene que ver todo esto con el «imaginarse delgada». ¡Pues mucho! La me-

La fuerza de la mente

dicina moderna ha investigado a fondo lo que se esconde detrás de esta «magia» mental y ha obtenido unos resultados sorprendentes. Los apasionantes estudios en el campo de la psiconeuroendocrinología (ciencia que estudia las relaciones entre la mente, el cerebro y las hormonas) nos proporcionan una clara visión de lo increíblemente fuerte que es la influencia de la mente y el cerebro en el cuerpo, especialmente en lo que se refiere a nuestro sistema inmunitario. Algunos inmunólogos van aún más lejos y afirman que la mente desempeña un papel clave en la aparición del cáncer: si el sistema inmunitario sufre una debilidad crónica a causa de una mente débil, las defensas del organismo no serán capaces de eliminar células mutantes malignas. Y en el tejido adiposo también se apreciarán notablemente sus efectos.

Las hormonas transmiten las órdenes

Las hormonas son el lenguaje con el que el cerebro transmite sus órdenes al resto del organismo. Las hormonas como la serotonina, la noradrenalina y la dopamina no sólo estimulan la mente, sino que también refuerzan las defensas y ayudan a eliminar la grasa. Por el contrario, el cortisol (la hormona del estrés) además de dañar el cerebro también es capaz de hacer que las células grasas aumenten espectacularmente de tamaño.

La mente lo controla todo

El cerebro es quien decide

Actualmente, los investigadores pueden explicarnos con toda precisión cómo y por qué se consiguen tantos éxitos con el método mental para adelgazar. A grandes rasgos, lo que sucede es lo siguiente: el cerebro es el jefe supremo de nuestra mente y de nuestra percepción. Sin cerebro no hay pensamientos ni se pueden percibir (conscientemente) sensaciones. Pero las células de la corteza cerebral que controlan nuestra existencia y determinan nuestra suerte están estrechamente comunicadas con el resto del cuerpo. Y esta comunicación se establece a través de un sistema nervioso finísimamente ramificado por el que, por ejemplo, envían órdenes a los músculos. Pero también a través del sistema nervioso simpático, por el que controlan el funcionamiento de órganos tales como el hígado, el estómago y el tracto intestinal.

A su vez, el cerebro recibe constantemente información de todas las células a través de los órganos sensoriales que le indican cuál es su estado y el del entorno. Estas señales son procesadas a gran velocidad y entonces el cerebro decide cuál ha de ser su reacción y envía las señales correspondiente para hacer que se cumpla.

Incluso las células grasas reciben señales

Pero todo lo demás que sucede en el cuerpo también está bajo las órdenes del cerebro; incluso a nivel de las células, que son los componentes más pequeños del cuerpo. Y cada una de éstas tiene múltiples enlaces que la comunican con el cerebro, y por tanto con la psique y con el sistema nervioso. Lo mismo sucede con las células grasas. Éstas también reciben señales directamente del cerebro y les llegan a través de las hormonas.

Mediante el sistema nervioso y las hormonas, el cerebro hace llegar sus órdenes a los centros cerebrales secundarios, entre ellos al tálamo, la puerta de entrada al consciente, y al hipotálamo, que es el que efectúa la regulación principal en el adelgazamiento mental. Como centro regulador de la actividad hormonal, recibe todas las señales hormonales del cerebro. Entonces decide cuál ha de ser el siguiente paso, si se han de segregar otras hormonas, y cuáles, y transmite sus ordenes a la hipófisis por vía hormonal. Ésta es la que se encargará de poner en circulación las hormonas adelgazantes.

Influir mentalmente en las acumulaciones de grasa

Si partimos de la base de que el pensamiento influye en el estado de ánimo y por tanto en la producción hormonal, y que las hormonas son las que regulan tanto la acumulación como la destrucción de la grasa corporal, llegaremos a la conclusión de que todo lo que pensemos ¡se manifestará indirectamente en nuestros michelines! Y éste es el nivel al que actúa el método mental para adelgazar.

Un refuerzo para las ideas

Existen otros dos fascinantes fenómenos que determinan si, y con qué intensidad, han de llegar las señales cerebrales hasta el hipotálamo: los dimi-

Los receptores NMDA, pequeños pero muy efectivos

Los receptores NMDA son una maravilla de la naturaleza. Entre las sinapsis (puntos de conexión entre las neuronas) de nuestro cerebro hay por lo menos un trillón (un millón de billones) de estas mágicas moléculas. Y es que su energía es casi mágica: los receptores NMDA son capaces de reforzar las ideas que se piensan con más frecuencia y hacer que las emociones (internas o externas) que se viven más a menudo sean más intensas. Y así es como también pueden programar nuestro cuerpo para «delgado»; potenciando nuestros deseos para adelgazar y la sensación de delgadez del método de adelgazamiento mental.

Los transmisores reaccionan

nutos sensores del cerebro que conocemos como receptores NMDA (ver recuadro de la página anterior) intensifican las ideas y las visualizaciones que se nos aparecen repetidamente y de forma casi real. Por esto los rituales producen un efecto tan fuerte en todo el cuerpo. Y por este motivo, cuando se repiten de modo ritual las frases de la fórmula para adelgazar, éstas se graban profundamente en el cerebro y hacen que se ponga en marcha una compleja reacción hormonal en todo el cuerpo.

Otro papel decisivo es el que desempeña el sistema límbico (centro de las emociones). A él pertenecen, entre otros, la amígdala y una interesante acumulación de neuronas a la que conocemos como *nucleus accumbens*. El sistema límbico es algo así como un filtro que determina cuáles serán los pensamientos y los deseos que se grabarán en el sistema nervioso. Por esto es muy importante visualizar internamente imágenes en movimiento, de colores y emocionales mientras se realizan los ejercicios del método «imagínate delgada». Por este motivo es también imprescindible aplicar todos los sentidos para vivir intensamente esas visualizaciones, pues así la reacción del cerebro es mucho más intensa. Si el hipotálamo ordena: ¡Segregar hormonas para adelgazar y fundir las células grasas!, el centro del apetito emitirá la señal de: ¡No hacen falta más alimentos! Y al centro de la felicidad le dará la orden de: Conectar en feliz -¡ahora!–. Por tanto, las decisivas comunicaciones para adelgazar que tienen lugar entre la mente, el cerebro y el cuerpo se transmiten a través de hormonas.

También es útil recordar un baile agradable

El poder de las hormonas

Las hormonas son unas sustancias maravillosas que se encargan de establecer puentes entre la mente y el cuerpo. ¡Son las moléculas comunicadoras que le permitirán imaginarse delgada! Porque el cerebro necesita este ejército de minúsculos transmisores para hacer llegar sus órdenes a todos los órganos y a todas las células. Señales hormonales que le indican al corazón si ha de latir con fuerza de alegría o si ha de bajar el ritmo a causa del pánico. Y también actúan directamente sobre el metabolismo de las células grasas, las desactivan y así le dicen a la grasa de la barriga y de las caderas que: ¡Aligerar, y de inmediato! Las hormonas no sólo se ocupan de nuestro (buen) humor, de nuestra fuerza interior, de nuestro equilibrio y de nuestra capacidad mental; también pueden hacernos adelgazar.

Las hormonas informan

Influencia en el centro de saturación del cerebro

Las hormonas pueden despertar la apetencia por los dulces

Las hormonas no sólo determinan si usted va a tener apetito y cuándo, si va a sufrir verdaderos ataques de hambre compulsiva o si disfrutará lentamente de cada bocado. También regulan qué es lo que le va a apetecer, qué es lo que más le gustará y qué alimentos no va a soportar. Si se siente locamente atraída por los dulces, si no tolera los espaguetis con crema de leche o si le encantan las ensaladas y la fruta, todo esto depende de las hormonas.

¡Las hormonas del adelgazamiento son capaces de mucho más!

Efecto directo sobre las células grasas

Pero las hormonas del adelgazamiento que usted va a estimular con su programa mental son capaces de mucho más. A través de receptores actúan directamente sobre el tejido adiposo y a continuación sobre cada célula grasa. Determinan si los alimentos se van a transformar en masa muscular o si la energía se va a acumular en las células grasas haciéndolas crecer.

Solamente mediante hormonas es posible que el cerebro ordene al cuerpo que se deshaga para siempre de esas acumulaciones de grasa y que adquiera la figura que usted siempre ha deseado. Es el único modo de que el cerebro programe al cuerpo para hacerlo adelgazar. En total son doce las hormonas que intervienen en el proceso de hacer que usted sea gorda o delgada, esbelta o «fondona». Entre ellas se encuentran las hormonas del estrés, como el cortisol y la insulina, que hacen engordar, y las hormonas adelgazantes tales como testosterona, serotonina, dopamina, ACTH, CRH, adrenalina, noradrenalina y DHEA.

Un poco de ciencia: la regulación hormonal

Producción a medida

Pero todavía nos falta algo muy importante para poder comprender realmente las bases científicas del programa de adelgazamiento mental. Las hormonas no se segregan simplemente y «de cualquier modo» siguiendo las órdenes del hipotálamo y demás órganos de control, sino de un modo extre-

IMPORTANTE

Sin los conocimientos más actualizados de la investigación hormonal, la idea de crear un método para adelgazar con el apoyo de la mente no sería más que una de tantas fantasías. Pero los estudios de la mente y de la percepción sensorial están hoy lo suficientemente avanzados como para permitirnos medir la intensidad de los pensamientos y de las sensaciones –y ésta se puede predecir–. Por tanto, también es posible autoprogramarse para «delgada» apoyándose en una base científica consistente. Y probablemente sea el único camino que le permita conservar para siempre su nueva y soñada figura. Por tanto, es únicamente su cerebro el que decide si usted va a pasearse por la vida con su nueva figura o si va a cargar para siempre con esas acumulaciones de grasa que tanto detesta.

madamente preciso y adaptándose a las circunstancias del organismo en ese instante concreto.

Este mecanismo natural que regula la secreción hormonal se conoce como «ciclo regulador». Cuando las hormonas circulan por el organismo y ejercen su acción sobre las células (por ejemplo en el cerebro o en el tejido adiposo), se consumen. Entonces, los receptores de las células y de los órganos envían una señal de aviso al hipotálamo: ¡Atención, necesitamos un nuevo aporte de serotonina, dopamina, testosterona...! Entonces el hipotálamo, que es el regulador hormonal supremo, transmite el pedido (urgente) a las glándulas encargadas de la producción de cada hormona en concreto. Si una vía de producción hormonal está activa, como por ejemplo la secreción de la hormona adelgazante DHEA, y a continuación aumenta la producción de hormonas sexuales, automáticamente descenderá la actividad de su opuesta (engordante); en este caso, sería el cortisol. Por este motivo, con el programa para adelgazar no sólo se imaginará y se sentirá más delgada, sino que el aumento de los niveles de serotonina y dopamina le elevarán el estado de ánimo a la vez que le rebajarán las células grasas.

¡Más feliz y más delgada!

¿Qué son los receptores?

Las hormonas son los genios de la comunicación de nuestro organismo, las sustancias que transmiten las noticias desde el cerebro hasta cada órgano y hasta cada célula. Los transmisores que hacen que el cerebro sienta felicidad o tristeza, que impulsan la estimulación sexual y que regulan la alimentación. Pero para poder funcionar necesitan receptores. Y éstos son unos diminutos sensores situados en las células y a los que va dirigido el mensaje hormonal. Por tanto, los receptores son los puertos de llegada de las hormonas y desde los cuales transmiten sus señales a la célula destinataria.

La estructura de una hormona es tan compleja que solamente puede encajar con su correspondiente receptor, como una llave en una cerradura. Así la dopamina solamente podrá unirse a las células con receptores para dopamina y la serotonina solamente a células con receptores para serotonina, pasando de largo ante todas las células que no tengan los receptores adecuados. Pero –y esto es decisivo para el programa de adelgazamiento mental– muchas células no tienen un solo tipo de receptor, sino una buena variedad de puntos de anclaje para hormonas. Así se explica que en estas células puedan actuar diversas hormonas y que produzcan efectos tales como: ¡Has de ser feliz! –serotonina, dopamina–. ¡Aumenta tu autoestima y sé

Efecto múltiple

sexy! –testosterona–. O decirles a las células grasas: ¡Adelgaza! –y esto es algo que lo hacen las tres–.

Las maravillas del cerebro

Sentirse feliz o estar triste, querer u odiar, engordar o adelgazar, todo se decide en los 100 billones de neuronas del cerebro. Intercambian información a una velocidad increíble. Los datos circulan de unas a otras a un tercio de la velocidad del sonido. Los neurotransmisores catapultan las señales de una neurona a otra en milisegundos. Y al mismo tiempo, el cerebro tiene que procesar una inmensa cantidad de señales sensoriales procedentes de los ojos, los oídos, el olfato, el gusto y de nuestro mayor órgano sensorial, la piel.

Las neuronas regulan las sensaciones

Así funcionan los ejercicios mentales

Las sensaciones felices repercuten sobre el cuerpo y el cerebro

En el cerebro existen trillones de conexiones entre neuronas. Estas conexiones, llamadas «sinapsis», crean la base de la red de comunicaciones del cerebro. A través de ellas circulan todas las señales que el cerebro transmite al resto del cuerpo mediante hormonas. Si algunas de estas vías nerviosas se utilizan con más frecuencia, el organismo las refuerza para convertirlas en «vías rápidas».

El cerebro crea vías rápidas para los pensamientos y las sensaciones que se producen con más frecuencia; y la consecuencia es que la secreción y el transporte de las hormonas propias de las correspondientes emociones y deseos cada vez se producen a mayor velocidad. Éste es el motivo de que las fórmulas «mágicas» del método de adelgazamiento mental y otras técnicas mentales funcionen de un modo tan efectivo. Los pensamientos asociados a

¡Lo conseguí! El efecto también se deja notar en las hormonas

colores agradables, las visualizaciones y los estímulos internos vividos de un modo intenso no sólo se retienen mejor, sino que también provocan en el cuerpo una reacción hormonal más intensa. Por tanto, las técnicas mentales tales como visualizaciones, afirmaciones y ensoñaciones dirigidas pueden inducir un aumento en la secreción hormonal.

Cómo las sensaciones controlan el cerebro y el cuerpo

Todos recordamos ese hormigueo que notábamos en el vientre al enamorarnos por primera vez, las punzadas que nos provocaba el miedo ante un examen final, las inexplicables sensaciones del primer encuentro sexual. Pero los acontecimientos con menos carga emocional van desvaneciéndose con el tiempo. Y llegará algún momento en que el cerebro decidirá prescindir de ellos, es decir, los borrará de la memoria. Y sucede de este modo: los miles de millones de células del centro emocional del sistema límbico, la amígdala, en el que se valoran emocionalmente las buenas y las malas sensaciones, miden en cuestión de milisegundos la carga emocional de la experiencia vivida así como el factor emoción de la visualización.

El cerebro decide

La acción de las hormonas adelgazantes

Cuanto más nos afecte un suceso, nos preocupe, nos haga felices o desgraciados, más intensa será la reacción de nuestro organismo, con más intensidad irán nuestros pensamientos en esa dirección y más fuerte será la acción de las hormonas segregadas por ese motivo. A continuación veremos cuáles son las hormonas que nos hacen adelgazar, cómo se activan y cómo actúan.

Transmisores activados

Serotonina: la hormona del adelgazamiento y de la felicidad

La serotonina es la hormona de la felicidad por excelencia. Cuando fluye por la cabeza y el cuerpo nos sentimos como en las nubes. Nos hace sentirnos bien y con ganas de abrazar a todo el mundo.

La serotonina se produce en determinadas células nerviosas del cerebro, pero la producción principal tiene lugar en las cápsulas adrenales por orden de los centros secundarios controlados por el cerebro. Una vez realizado el «encargo», la serotonina fluye en las escotaduras sinápticas, que son unas diminutas separaciones que existen entre las neuronas. Allí la hormona de la felicidad se enlaza a la siguiente célula, la excita y crea un flujo de sensaciones agradables.

Hormona para el buen humor

La serotonina eleva el estado de ánimo, pero también funciona al revés: Siguiendo el ciclo de regulación hormonal, la producción y secreción de esta hormona aumenta cuando a uno le van bien las cosas, cuando se va por la vida con alegría.

Y también en sentido contrario

Si una persona realiza ejercicios mentales según la fórmula «yo me quiero a mí mismo» o visualizaciones positivas hasta alcanzar un estado de bienestar, su cerebro se sintoniza automáticamente en «serotoninerg» (así es cómo lo llaman algunos investigadores). Entonces, el cerebro ordena un nuevo aporte de serotonina –y también lo recibe, pero siempre según las férreas reglas del ciclo de regulación hormonal–.

Adelgazante por partida doble

La serotonina no sólo hace feliz, sino que también adelgaza, y por partida doble: Por una parte bloquea las células del centro del apetito, situado en el hipotálamo. Por tanto, funciona como un inhibidor del apetito natural.

Por otra, y aún más importante y sorprendente, la serotonina se fija a receptores que actúan directamente sobre las células grasas de las acumulaciones adiposas. La hormona de la felicidad es un «adelgazante mental» tan importante que se merece un capítulo entero de este libro.

La dopamina también ayuda a adelgazar

Pero también disponemos de otra potente arma hormonal capaz de programar al cerebro para adelgazar: la dopamina. Es una hormona fascinante. Se trata de una diminuta molécula que estimula una región cerebral igualmente minúscula –el núcleo rojo *(nucleus accumbens)*–. Esta intrigante acumulación de neuronas es considerada como el centro de gratificación del cerebro. La dopamina lo activa siempre que nos enfrentamos a algo muy difícil, cuando se produce una situación que el cuerpo y la mente desean superar a cualquier precio. La dopamina es la hormona que nos despierta las ganas de «querer más de eso», que de repente hace que veamos de color de rosa lo que hasta ahora era gris, que nos eleva el estado de ánimo, que nos da fuerzas, que nos hace felices y potencia la fuerza del pensamiento.

Nos regala ilusión por el sexo y una talla menos

Sencillamente, más energía

La dopamina no sólo transmite felicidad; esta hormona también aumenta el deseo sexual. Además, esta hormona cerebral transmite la sensación de estar saciados (independientemente de lo que hayamos comido), ya que actúa directamente en el centro del apetito del hipotálamo y da la señal de: «Estoy contento, estoy satisfecho, así estoy bien».

La libido aumenta

Un aumento de receptores que ayuda a adelgazar

Este estado de felicidad puede inducirlo usted misma. Por ejemplo, mediante una visualización, un viaje con la imaginación o una ensoñación dirigida (ampliaremos este tema en la parte práctica); lo que pasa no es un milagro, sino algo perfectamente explicable con los conocimientos que actualmente poseemos acerca de los neurotransmisores cerebrales: de repen-

Además...

Las personas que son felices y se sienten un poco superiores tienen más receptores de dopamina en el cerebro. Pues su número –según las leyes del ciclo de regulación hormonal y de la regulación de receptores– aumenta hacia los valores máximos.

te, el cerebro disfruta de una actividad «dopamínica» y produce más receptores de dopamina. Y esto no sólo hace que usted flote entre nubes de felicidad, sino que también le ayuda a perder peso. Porque usted súbitamente tendrá menos ganas de «picar» o de comer todo lo que se ponga a su alcance, o de «llenarse la tripa», y todo ello sin tener la sensación de estar haciendo un esfuerzo ni de torturarse inútilmente.

Siempre bajo presiones, eso hace subir el nivel de cortisol

Transmisores del estrés en cascada

La comida no le hace ilusión

¿El estrés engorda? ¿O adelgaza? Algunas personas pierden peso cuando están sometidas a estrés, pero otras lo ganan. ¿Una casualidad? ¡No, en absoluto! Porque lo que el estrés produce en el cerebro, y por consiguiente en el cuerpo, es una reacción hormonal en cadena. Pero una reacción que usted puede orientar en una u otra dirección si emplea las técnicas mentales adecuadas.

En las reacciones hormonales en cadena ocasionadas por el estrés sucede lo siguiente.

- **CRH:** Al principio actúa esta hormona tan importante, pero que no se conoce en estado aislado. Él es, por decirlo de algún modo, el primer corredor en una larga carrera hormonal de relevos. La CRH es una hormona libre. Fluye del hipotálamo hacia la hipófisis pasando por unos vasos sanguíneos destinados específicamente a esta función. Allí se encarga de hacer que el centro de control hormonal libere la ACTH.
- **ACTH:** Esta hormona es la clave tanto de la fuerza física como de la psíquica. Cuando se presenta súbitamente una necesidad, una situación de peligro o una oportunidad única, se disparan las señales de alarma del cerebro

y las reservas de hormonas se ponen a pleno rendimiento. La ACTH aclara la mente a la vez que agudiza los sentidos y la concentración.

Pero ahora es usted quién decide cómo afrontar la situación y el estrés –y lo que pasará en el cuerpo y en la cabeza–. En principio existen dos posibilidades: si adopta una postura positiva (euestrés), se produce una reacción en cadena en la que la ACTH estimula la producción de:

Hormonas de la felicidad gracias al estrés positivo

- **Noradrenalina:** Ésta es la hormona positiva del estrés. La noradrenalina se activa en el cerebro cuando el saltador de puenting, después de lanzarse al vacío, nos explica radiante: «Ha sido fantástico. ¿Cuando lo repetimos?». Las técnicas mentales también pueden orientar la mente en esa dirección positiva. Y para notar la sensación de la noradrenalina, el cuerpo necesita energía. Para ello consume sus reservas y, por tanto, adelgaza.

Si se encuentra en un estado permanente de estrés negativo (diestrés), tiene miedo, está de mal humor y se siente pesimista, entonces la ACTH hará que se libere la hormona negativa del estrés:

- **Adrenalina:** Esta hormona es la que puede segregar el saltador de puenting justo antes del salto, cuando se encuentra en la plataforma, mira hacia el vacío y se pregunta quién diablos le mandaba meterse en eso. La

Puenting: saltar al vacío sí que produce hormonas del estrés adrenalina pone al cuerpo en estado de alerta. Y se fija a receptores situados directamente en las células grasas para mobilizarlas. Pero si el estado de tensión no desaparece, el organismo pasa a la hormona del estrés permanente, el cortisol, ¡que hace engordar y tiene graves consecuencias para la salud!

Cortisol: la hormona que hace engordar en casos de estrés permanente

El organismo segrega cortisol cuando el estrés no disminuye, cuando usted no logra encontrar la calma o ni siquiera consigue desconectarse en medio del ajetreo diario, de las prisas y de los compromisos.

En esas circustancias se dará cuenta de que adelgazar se convierte prácticamente en una misión imposible. El cuerpo conserva sus kilos y no logra perder ni un gramo. No ha de sorprendernos, pues el cortisol engorda. Interviene en el metabolismo de los azúcares y regula la producción de glucosa. Por desgracia, obtiene esa glucosa sustrayéndola de las proteínas del cuerpo, por lo que debilita a los músculos y los huesos. Mediante un complejo proceso afecta también a las células cerebrales –lo veremos en detalle en el capítulo III–. El cortisol no sólo hace que la barriga se mantenga flácida, sino que la hace aumentar de tamaño, pues hace que se desarrollen especialmente las células grasas de esa zona. Por tanto, para lograr un descenso del cortisol no sólo hay que visualizar situaciones relajantes, sino también un vientre plano. Por suerte, el cortisol tiene más enemigos aparte de la noradrenalina. Como por ejemplo la DHEA, una de las hormonas favoritas de las estrellas de Hollywood.

El cortisol engorda

DHEA: delgada como una estrella de Hollywood

Hay un tema que se menciona una y otra vez en las fiestas de las estrellas y estrellitas de cine: DHEA, la hormona de moda. Esta hormona, cuyo nombre completo es dehidroepiandrosterona, produce buen humor, mejora la memoria y aumenta la vitalidad: recubre los nervios y así bloquea el estrés. Además, frena los efectos producidos por el cortisol. Pero aún puede hacer más:

- La DHEA estimula la producción y secreción de enzimas que destruyen la grasa (enzimas lipolíticas).
- Este receptor mejora la efectividad de la hormona del crecimiento (HGH) en sus receptores. De este modo, la hormona más activa en la eliminación de grasa y creación de músculos puede actuar a pleno rendimiento.

Un contrario muy eficaz

- Inhibe a la hormona NAPDH, que es la que se encarga de hacer que las células grasas se multipliquen en caso de sobrealimentación.
- La DHEA frena el apetito. Por una parte estimula la producción de hormonas sexuales tales como la testosterona y, por otra, actúa directamente sobre el centro de saturación del cerebro transmitiendo la señal de «Estoy saciado».

Testosterona: la sustancia de los vencedores delgados

La testosterona actúa de un modo similar a la DHEA y también pone límites al cortisol y a las células grasas. La testosterona es la hormona masculina por excelencia. Hace que se desarrollen los músculos y que se hundan las acumulaciones de grasa. Es la hormona de los «machos» y los triunfadores. Pero las mujeres también tienen esta hormona en la sangre. Y también las hace fuertes y dominantes.

La testosterona tensa

¿Y esto qué tiene que ver con el «imagínate delgada»? ¡Pues mucho! Para empezar, la testosterona no es sólo una sustancia que genera músculos, sino que también hace perder peso. En el metabolismo actúa como un duro contrincante del cortisol, que es la hormona que hace engordar.

El principal y mejor método para aumentar su nivel de testosterona es éste: Siéntase su fuerza interior y potencie su autoestima, por ejemplo, mediante fórmulas mentales positivas. La testosterona se puede estimular en gran parte con los pensamientos y las sensaciones. Si usted se siente bien, feliz, con éxito y tiene unas relaciones sexuales satisfactorias, su nivel de testosterona aumentará. Si está estresada, abatida, triste y resignada, su nivel de testosterona descenderá y entrará en juego el cortisol haciéndola engordar.

Otras hormonas adelgazantes

Éstas son las principales hormonas que hacen adelgazar por la vía mental (es decir, la psiconeuroendocrinológica). Pero también existen otras hormonas que juegan papeles importantes en el metabolismo de las grasas, incluso muy importantes. Una función decisiva es la que desempeña la hormona del crecimiento HGH, conocida también como «somatotropina». Este potente adelgazante también se puede activar por la vía mental. Pero dado que su actividad está directamente relacionada con el ejercicio físico, sus efectos positivos los describiremos en la página 94 y siguientes.

Importante para el metabolismo

Otras de las hormonas que intervienen en el metabolismo lipídico son la insulina (que engorda) y el glucagón, que es su opuesta. Y también hay que incluir las hormonas de la tiroides –tiroxina y triyodotironina–. Pero su efecto en el ciclo de regulación hormonal del organismo se produce en una fase posterior. Solamente podrán desplegar toda su eficacia cuando usted ya esté en la segunda fase de su programa de adelgazamiento, cuando note que disfruta con lo que está haciendo y súbitamente empiece a apetecerle comer «delicatessen» que hacen adelgazar. Cuando se mueva con mucha más alegría, sin pensar en ello, y no haga falta arrastrarla para que haga deporte.

Por una vez, otras preferencias

Sin embargo: La decisiva ignición inicial procede del programa mental para adelgazar. Eso es lo que la pondrá en el camino hacia una figura ideal.

El cerebro efectúa el cambio...

Una vez que haya empezado a sentirse a gusto con el programa mental de adelgazamiento se dará cuenta de que está llena de energía. Y, ante eso, el cerebro reacciona de inmediato. Producirá más hormonas que la pondrán a tono, como noradrenalina (hormona positiva del estrés), serotonina (hormona de la felicidad) y dopamina (hormona gratificante). Si entonces usted empieza a hacer más ejercicio físico y dedica más energía a mover su cuerpo, sus glándulas no sólo segregarán hormonas sexuales y la hormona del crecimiento (HGH) proporcionándole una figura estilizada y una emocionante vida amorosa, sino también otras hormonas que aumentarán su rendimiento y elevarán su alegría vital.

El ejercicio potencia la producción hormonal

Programa para la mente y el alma

Poner en marcha su propio programa de adelgazamiento mediante imágenes interiores. Programar la mente de modo que le haga ilusión perder kilos, que la alegría vital, la energía y el ejercicio físico definan un nuevo estilo de vida, todo esto se puede conseguir mediante técnicas mentales. Empleando la imaginación, visualizaciones o ensoñaciones dirigidas –estos ejercicios constituyen la vía definitiva hacia una vida plena y un cuerpo delgado–.

Vía mental hacia una figura ideal

O sea que ya se ha decidido a adelgazar y ser feliz. Las técnicas mentales de este capítulo la conducirán paso a paso hacia sus objetivos, casi como si se tratase de un juego, pero con una gran eficacia. ¿Lo duda? Pues créalo: ¡Funciona! Porque usted tiene dos potentes fuentes de energía que la apoyarán en su avance hacia la figura ideal: la fuerza de sus pensamientos (controlados conscientemente) y la fuerza de su subconsciente.

Adelgazar como si fuese un juego

Dispóngase a imaginarse delgada

¿Cómo funciona el método para adelgazar «guiado por la mente»? Al comienzo, deberá empezar por programar la forma de pensar en sí misma, en su figura y en su atractivo como mujer. En esta primera fase del programa aprovechará la fuerza de sus apreciaciones e ideas de un modo completamente racional. Los psicólogos hablan de «pensamiento dirigido». El objetivo de estos ejercicios es que usted programe como «realidad» aquello que ha de convertirse en real. Tendrá el apoyo de las «fórmulas mágicas para la felicidad» y las «fórmulas mágicas para adelgazar». Pero eso ya lo veremos más adelante...

¿Dónde está el origen de la obesidad?

Lo primero que debe hacer es lanzar por la borda cualquier tipo de pensamiento o actitud negativa respecto a sí misma, a su aspecto y

Despídase de los pensamientos negativos

Un pequeño milagro

Está demostrado que las técnicas mentales tales como imaginaciones, visualizaciones y ensoñaciones dirigidas pueden influir en el metabolismo hormonal. Se segregan grandes cantidades de hormonas tales como serotonina (hormona de la felicidad), dopamina (hormona gratificante) y testosterona que fluyen por el organismo hasta llegar al cerebro y transmitir el mensaje de: Sé feliz y libre. El tejido adiposo obedece y ¡se acabó el engordar!

a su (presunta) falta de atractivo, porque todo esto no hace más que ayudarla a engordar. Pero esto solo no es suficiente: en los pasos siguientes aprenderá a reconocer las profundas raíces psicológicas de la obesidad (ver «Meditación biográfica», página 78) y a agudizar su percepción de modo que pueda impedir a tiempo las reacciones automáticas tales como el impulso de comer o los ataques de hambre compulsiva.

Percepción consciente

Su cuerpo sigue los dictados de la mente

La otra fuente de energía para sus propósitos está en su subconsciente. Ambos, consciente y subconsciente, actúan juntos de modo que el primero nos lo podemos imaginar como a una gran ola en el mar y al segundo como una potente corriente submarina.

El subconsciente puede reprogramarlo de forma muy efectiva mediante la imaginación –aquí se incluyen sugestiones, imaginaciones y visualizaciones, con imágenes en color, sonidos vividos con intensidad, aromas sensuales y agradables percepciones cutáneas–. Para perder kilos tendrá que movilizar todos los canales sensoriales (y con ello todas las vías efectivas del subconsciente).

Dígale «¡Sííí!» a su figura ideal

Cuando usted ya ha tomado la decisión de vivir finalmente en un cuerpo delgado que realmente se adapte a usted y a su modo de vida, ¿qué es lo más importante? Claro: energía, cierta dosis de disciplina, ilusión por los ejercicios, constancia... De acuerdo, pero hay algo que es mucho más importante que todo lo anterior: su «¡¡Sííí!!» incondicional a esta empresa, el prometerse a

¡Lo más importante es tomar la decisión de ser delgada!

La gran meta

sí misma: ¡Voy a conseguirlo! Solamente logrará alcanzar sus propósitos si da una prioridad absoluta al adelgazar y pone en ello todo su corazón y toda su mente.

Un tiempo para usted sola

De todos modos, para lograr sus propósitos tendrá que hacer una pequeña inversión. No, no se trata de gastar grandes sumas de dinero en productos para adelgazar ni en dietas «garantizadas», sino algo de su tiempo.

Resérvese cada día media hora para usted sola o, mejor aún, una hora. Desconecte el teléfono o déjelo descolgado. Cierre la puerta y cuelgue un cartelito de «No molestar». Ese tiempo le pertenece sólo a usted. Se lo ha ganado. Y usted necesita esta pausa personal diaria para ejercitar las técnicas del programa de adelgazamiento. Cuando éstas se «asienten» (algunas personas tardan más que otras en conseguirlo), podrá elegir en cada momento la que más le apetezca y combinarlas como quiera.

Tiempo para usted misma

Dejando aparte su rato diario a solas, la programación para adelgazar empieza cada mañana en el cuarto de baño.

Un pequeño ritual para su subconsciente

Siéntese bien cómodamente durante unos minutos y sienta su paz interior. Ahora concentre su mente en pensar cómo sería su vida si fuese más delgada y cuáles son los cambios positivos que experimentaría. Luego, diga en voz alta y clara:

- Sí, quiero ser delgada.
- Sí, quiero disfrutar de mi nueva vida con todas mis fuerzas.
- Sí, quiero desprenderme de ese lastre de grasa y sentirme libre.
- Sí, de ahora en adelante quiero sentirme a gusto en mi cuerpo.
- Sí, quiero ser feliz y quererme a mí misma.

Con esto está haciendo algo decisivo: está enviando unas órdenes muy claras a su hemisferio cerebral derecho, que es el que rige el subconsciente, las emociones y las visualizaciones. Este hemisferio derecho puede almacenar en el subconsciente hasta 10.000 impresiones en sólo 60 segundos. Y de él depende que los deseos se conviertan en realidad. ¡Cuantas más veces repita este pequeño ritual, mejor se grabarán estos mensajes en su cabeza!

Si quiere relajarse bien, necesitará tranquilidad

Paso 1: Su mejor aspecto

Reconozca su propio potencial

Cada persona posee una belleza externa y una belleza interna. Posee la capacidad de tener energía, alegría vital y una figura delgada. ¡Todo lo demás es como querer darle la vuelta a las cosas!

Mírese en el espejo: usted es hermosa, es delgada e irradia felicidad y alegría vital. ¿No lo ve así? ¿Ve en el espejo una cara redonda, un vientre abultado, unos muslos gordos, unos brazos flácidos, una mirada amargada y una boca torcida? Entonces, vuelva a mirar más detenidamente.

¡Véase como realmente es! ¿Reconoce su auténtico yo? ¿Vé su erótica y delgada figura, su aspecto feliz y radiante? Si es capaz de verse así, entonces se verá con cariño. Y ese es el primer paso (pero solamente el primero) en el programa mental para adelgazar. Significa la primera medida para salir de la espiral de pensamientos que nos hacen engordar, pautas de comportamiento destructivo y un metabolismo que nos lleva a acumular grasas. Y esta forma de verse a sí misma necesita ser ejercitada: por la mañana, en el cuarto de baño; ¡cada vez que se vea en el espejo!

El «método del sandwich»

Puede seguir practicando las impresiones positivas acerca de sí misma. Pero ahora se trata de estrechar un poco más el cerco: con el método del sandwich. Éste apoyará su imagen positiva por sí mismo. La base: nada de normas estéticas preestablecidas, un aspecto positivo y radiante lo es todo. Si se gusta a sí misma también será erótica. A partir de ahora, pase por lo menos diez minutos diarios ante el espejo. Mírese según el método del sandwich:

Radiante estará mucho más bella

- Dirija la vista hacia una parte de su cuerpo que le parezca muy sexy: «¡Estupendo, ahí sí que tengo buen aspecto!». No sea modesta: ¡Haláguese tranquilamente todo lo que pueda!
- Ahora desvíe la vista hacia una de sus zonas verdaderamente problemáticas, una de esas que no le gustan nada. También ahí podrá encontrar algo agradable si se mira con cariño; y eso es algo que deberá practicar. Luego diga en voz alta: «¡De acuerdo, aquí sí que podría mejorar un poco... pero por lo demás soy realmente yo!».
- Para finalizar, vuelva a dirigir la mirada hacia una parte de su cuerpo que le guste... ¡y concédase simplemente un par de halagos por tener tanto «sex appeal»!

¡Deje ya de criticarse!

¡Elimine todas las ideas negativas de su cabeza! Deje de compadecerse de usted misma y de su figura, de criticar sus aptitudes y de verlo todo negro en esta vida. Ahora se trata de movilizar todas las energías positivas que haya en usted: de disfrutar cada día con alegría, de reír, de amar... y de adelgazar con ello. ¡Todo esto puede aprenderlo!

Pensamientos positivos

Paso 2: Adelgazar con todos los sentidos

Prepárese a dar el segundo paso hacia su sueño. ¡Defina sus propósitos de forma clara y, sobre todo, emocional! Aproveche todos sus sentidos para ello, incluso para definir su meta:

- ¿Qué quiere ver? ¿Tal vez a usted misma con un vestido corto corriendo ligera y vaporosa por unos prados? ¿O prefiere verse como princesa de los hielos flotando sobre una blanca extensión helada?
- ¿Qué quiere oír? ¿Cumplidos? ¿Que la halaguen? Imagínese lo siguiente: Luciendo su nueva figura, asiste a una fiesta de gala y desciende por una escalera engalanada hasta llegar a una sala con destellos dorados. Los invitados se giran para mirarla y brindan con cava a la vez que la halagan: ¡Tiene un aspecto maravilloso!
- ¿Qué quiere sentir? Imagínese que se pone otra vez su vestido favorito y que le sienta como hecho a medida. Nota el suave roce de la tela sobre su piel... Y una fantasía muy agradable:

está junto a su ser querido y éste le acaricia la suave y tersa piel de lo que antes fueron sus zonas más problemáticas. Usted está maravillosa y muy atractiva...

Alcanza el feeling

La sensación de ser atractiva puede llegar a motivar

Otra percepción intensa: cuando ya haya definido emocionalmente las metas que desea alcanzar al adelgazar, permítase otro pequeño capricho mental: imagine con todas sus fuerzas cómo se sentirá cuando ya haya alcanzado sus propósitos. Y dígase a sí misma:

Emplee la fuerza de la imaginación

- Ahora ya me siento muy ligera, tanto exterior como interiormente.
- Noto perfectamente lo divertido que es y lo bien que me sienta haber liberado mi cuerpo (y la mente) de tanto lastre inútil.

Piense en esto varias veces al día y procure visualizar también las imágenes que estimulan a sus sentidos, hágalo varias veces al día.

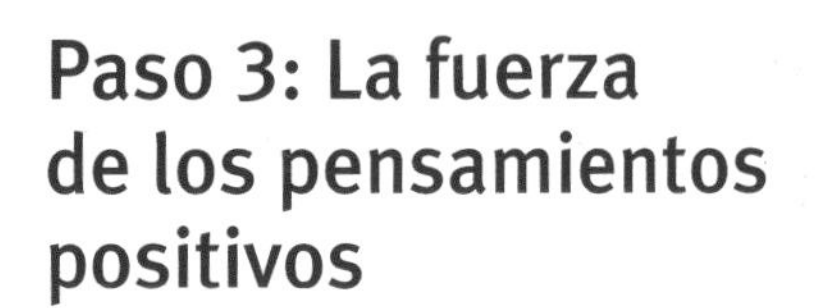

Paso 3: La fuerza de los pensamientos positivos

Pasemos a algo un poco más racional. Ahora se trata de comprobar sus antiguas ideas acerca de su persona, su aspecto, su carisma y su atractivo y adaptarlas como mejor le parezca. Es lo que llamaremos «pensar en positivo». Y para que esto realmente se traduzca en «carne y sangre» es necesario que lo haga por escrito. De este modo:

- Siéntese en su sillón favorito. O póngase lo más cómoda que pueda en el lugar que prefiera.
- Coja un cuaderno y un bolígrafo y dedique diez minutos a anotar todo lo que se le ocurra acerca de su aspecto, su figura o su atractivo personal. No importa que se trate de ideas positivas o negativas. Apunte también todo lo que se le ocurra respec-

Lo que se escribe queda más a la vista

Anote todo lo que piense

to al efecto que usted causa en los demás, o lo que opina acerca de adelgazar o de alcanzar una figura ideal. Probablemente, en esta fase aflorarán todas sus alegrías y preocupaciones, esperanzas y temores acerca de estos temas. Por ejemplo: «Estoy demasiado gorda y nadie me quiere». «No hay quién se resista cuando lo miro con mis radiantes ojos azules». «Estoy demasiado gorda desde siempre». «Si quiero adelgazar voy a tener que pasarme meses pasando hambre», etc.

- Ha llegado el momento de separar: Escriba en una hoja sus apreciaciones negativas dejando la mitad derecha en blanco y anote las apreciaciones positivas en una segunda hoja.
- Ahora se trata de poner a prueba sus pensamientos negativos. ¿Es cierto lo que usted piensa de sí misma y el modo en que se ve? Divida las apreciaciones negativas en dos grupos: las opiniones que al ser analizadas de un modo más crítico han resultado ser falsas o poco significativas las clasificará como ideas poco importantes.
- Lo único que tiene que hacer es expulsar de su cabeza ese conjunto negativo de poca importancia: ima-

gínese que coge cada una de esas ideas con los dedos, la pone en la palma de la mano y la arruga con todas sus fuerzas. Verá cómo se esfuma por los aires para no volver nunca jamás.

A las opiniones negativas serias deberá prestarles un poco más de atención. Son las que están anotadas en el lado izquierdo de su hoja de papel.

Fijarse bien

- Escriba en el centro de la hoja las palabras «Esto es lo que me motiva, y ahora...», y a continuación escriba en el lado derecho las medidas concretas que puede adoptar contra cada una de las apreciaciones negativas. ¡Expréselo claramente en una sola frase! Así obtendrá una especie de guión y a la vez hará algo muy práctico: convertirá un concepto negativo en unas indicaciones positivas. Por ejemplo, escriba la frase «Estoy gorda y nadie me quiere» y a continuación: «Esto es lo que me motiva, y ahora voy a relacionarme con la gente para encontrar nuevas amistades». El concepto «No soy atractiva» lo complementará con «Esto es lo que me motiva, y ahora voy a trabajar mi aspecto externo para destacar mi imagen de felicidad».

Extraiga consecuenias positivas

El siguiente paso es algo así como «clasificar las basuras»:

- Corte la hoja por la mitad y tire el lado izquierdo en el que están anotadas las apreciaciones negativas, porque solamente sirven de obstáculo. Imagínese el proceso de un modo un poco teatral: suponga que mete el trozo de papel con los detalles negativos en una caja, que navega en una barca de remos surcando un inmenso lago y que hunde la caja en el centro del mismo.
- Respire diez veces profundamente. Ahora solamente le quedan metas y motivaciones satisfactorias, y sus apreciaciones positivas en la segunda hoja; todas las sensaciones e ideas que la animan y la estimulan.

Felicítese por haber dado este paso. Para destacarlo todo, subraye estas ideas mentalmente con un rotulador naranja luminoso. Pronuncie en voz alta cada una de estas afirmaciones positivas: «Tengo unos preciosos ojos azules. Tengo una imagen muy positiva. La gente me quiere porque soy abierta, sincera y siempre estoy de buen humor...».

IMPORTANTE

Para que no se le olviden sus ideas positivas y sus nuevas metas, es importante que las repase con frecuencia. Busque un cuaderno pequeño y con una bonita encuadernación, y anote en él todas sus ideas positivas y sus progresos. A partir de ahora el cuaderno será su amigo y compañero. En él siempre encontrará aquello que le proporciona fuerzas y energía para alcanzar su meta de adelgazar.

Empiece por relajarse

A continuación va a aprender una serie de técnicas mentales. Realizará ejercicios que influirán en su subconsciente (y por tanto también en el sistema regulador de las hormonas).

Pero para que las técnicas mentales tales como autosugestión, imaginación y visualización realmente puedan llegar a ser efectivas es necesario que usted esté en un estado de profunda relajación. O por lo menos lo es para la fase de aprendizaje, a la que usted va a tener que dedicar unas seis semanas.

Este tipo de relajación profunda puede alcanzarla, por ejemplo, mediante el entrenamiento autógeno. Seguidamente explicaremos los principios en los que se basa este entrenamiento. Para esto pueden serle de gran ayuda los cursos en cassettes o los que se imparten en algunas escuelas superiores.

Vamos allá:

Lo primero es buscar un lugar tranquilo

- Acuéstese relajadamente sobre la espalda con un pequeño cojín bajo la cabeza. O siéntese en una silla y adopte la «posición del cochero», con el cuerpo un poco curvado hacia delante y la cabeza colgando ligeramente. Los antebrazos descansarán entre los muslos, que estarán un poco separados. Una vez haya encontrado la posición correcta, practique las siguientes fórmulas dedicando cada vez un minuto al correspondiente ejercicio y a las percepciones derivadas de él.
- Dígase a sí misma en voz medio alta: «Estoy muy tranquila».
- A continuación: «Noto los brazos y las piernas muy pesados».
- Realmente notará el peso de brazos y piernas.
- Siga con: «Mis brazos y piernas están muy calientes». El calor fluirá por sus extremidades, los músculos se agarrotarán.

Para relajarse es importante colocarse en una posición cómoda

Note la sensación de pesadez

▶ Ahora viene: «Mi corazón late tranquilo y con fuerza». Perciba cómo su corazón bombea regularmente la sangre sin ningún esfuerzo.

▶ Al cabo de un minuto viene: «Respiro muy tranquilamente». Note cómo su respiración se tranquiliza. Respire.

▶ Con el siguiente ejercicio tendrá que concentrarse en el plexo solar. Este importante centro nervioso situado en la cavidad abdominal lo estimulará mediante la fórmula de «Mi vientre recibe un flujo caliente».

La última fórmula dice: «Mi frente está agradablemente fría». Esta frase le ayudará a agudizar la concentración y le clarificará las ideas.

▶ La salida de la relajación es muy importante. Finalice el entrenamiento autógeno con la fórmula de «sujetar brazo». Seguida de «inspirar y espirar profundamente» y, finalmente «abrir ojos». Extienda ambos brazos hacia delante, dóblelos y vuelva a estirarlos. Inspire y espire profundamente y acabe abriendo los ojos.

Retroceda conscientemente

Pasos básicos

Los pasos que hemos ido viendo hasta ahora le permitirán sentar las bases de su proyecto. Si ha definido claramente su propósito de adelgazar, si consigue que su imagen de sí misma sea mejor y más apetecible que antes (por lo menos de vez en cuando), si sus pensamientos se orientan hacia lo positivo y usted es capaz de sumirse en un profundo estado de relajación, entonces las técnicas mentales para adelgazar que veremos a continuación seguro que la conducen al éxito. Por eso es muy importante que antes de empezar con los ejercicios propiamente dichos dedique por lo menos diez

Navegando por las ondas alfa

Con un poco de experiencia al practicar los ejercicios de meditación o de entrenamiento autógeno podrá dejarse llevar al estado alfa. Éste es un estado mental (fisiológicamente medible) situado entre el sueño y la vigilia. El consciente cae en un suave trance mientras que grandes (e importantes) partes del inconsciente se colocan en un estado de máxima capacidad de captación. En este estado es especialmente fácil programar el cerebro para mensajes positivos. Por tanto, si va a practicar técnicas tales como ensoñaciones o visualizaciones es conveniente que antes realice una (breve) fase de relajación, por lo menos durante las primeras semanas.

minutos al entrenamiento autógeno (paso 4). En total deberá practicar y utilizar las técnicas mentales durante por lo menos seis semanas. Si el programa para adelgazar le divierte y se siente motivada por los resultados, podrá seguirlo durante tanto tiempo como quiera...

Paso 4: Autosugestión

«Sugestionar» significa influir en la mente y en el cuerpo mediante técnicas psíquicas de conversación que recuperan determinados conceptos o ideas. Por ejemplo, estando el paciente en un estado de profunda relajación, el terapeuta puede emplear fórmulas para recuperar datos, ideas y sensaciones que se ocultan en su subconsciente.

Influya en sus propios pensamientos y sensaciones

«Autosugestión» significa sugestionarse a uno mismo, es decir, autoinfluirse. Y esto es lo que usted va a hacer ahora. Estando en un estado de profunda relajación va a repetir rítmicamente unas fórmulas que le permitirán recuperar determinadas ideas y sensaciones de su consciente y de zonas especialmente profundas de su subconsciente. Dos de estas fórmulas van a cobrar una gran importancia para usted en las próximas dos semanas. La primera es la «fórmula mágica para la felicidad». Su enunciado es éste: «Me quiero a mí misma con todas mis fuerzas».

La fórmula mágica para la felicidad

Formal y con energía psíquica

Esta fórmula quizá tenga un nombre un poco curioso, pero no lo hemos elegido al azar, sino que sigue unas antiquísimas leyes psíquicas:

- En principio se trata de una clara y evidente demostración del imprescindible amor a uno mismo. Y esto es muy importante; porque si usted quiere romper el círculo vicioso de engordar, no confiar en sí misma y odiar su cuerpo con la consiguiente secreción de cortisol (que engorda), lo primero que tiene que hacer es aprender a aceptarse; a amarse tal y como es. ¡Con o sin acumulaciones de grasa!
- Además, la fórmula mágica para la felicidad indica claramente que esta autoestima hay que entrenarla enérgicamente. Se ha demostrado científicamente que basta este claro conocimiento del propio poder psíquico para hacer que en el cerebro y en el resto del organismo aumenten los niveles de serotonina y dopamina, mientras que el cortisol (hormona negativa del estrés) sufre un espectacular descenso de hasta el 40%.
- Las palabras se pronuncian siguiendo un antiquísimo ritmo cuya cadencia es muy similar a la de los

Los ejercicios mentales se fijan principalmente durante el sueño

latidos del corazón; en la poesía de las antiguas civilizaciones como Grecia y Roma se conocía como «ditirambo» y jugaba un papel muy simbólico (y sugestivo).

La fórmula de la felicidad en la vida cotidiana

Al principio deberá convertir esta frase en su propia fórmula mágica de la felicidad estando, como de costumbre, en un estado de profunda relajación. A partir de ahora, entrene cada noche durante por lo menos un cuarto de hora. Durante este tiempo, repita la frase para usted como si recitase una letanía. Si lo desea, puede emplear un pequeño truco que le será de gran utilidad: tome una cuerda suave y gruesa, y haga en ella 20 nudos a intervalos regulares. Cuando esté profundamente relajada, palpe el primer nudo y diga «Me quiero a mí misma con todas mis fuerzas». Luego respire profundamente un par de veces. Y vaya continuando de este modo...

Esta profunda inmersión en la fórmula de la felicidad es especialmente eficaz si se realiza antes de dormir. En ese momento, el cerebro está en la fase alfa y es especialmente receptivo a las sugestiones, y esto hace que al soñar se graben profundamente en el hipocampo (centro de la memoria) todas aquellas ideas y

El cerebro se sintoniza en «recepción»

Al enunciar la fórmula mágica, mírese a los ojos

sensaciones vividas tan intensamente antes de dormirse.

La clave está en repetir

Anclar bien la cabeza

Pero usted no debería repetir la fórmula mágica de la felicidad solamente por la noche, sino que también tendría que dedicarle cinco minutos de su tiempo personal. Lo importante es repetirla por lo menos 20 veces al día. Empiece por la mañana cuando acabe de levantarse y se sitúe ante el espejo del cuarto de baño. Mírese directamente a los ojos y diga: «Me quiero a mí misma con todas mis fuerzas». Antes de salir del cuarto de baño, repítalo todo otra vez. Es importante que durante dos semanas repita la fórmula muchas veces a lo largo del día.

La fórmula mágica para adelgazar

Ahora ya es el momento de pasar a la «fórmula mágica para adelgazar». Es la siguiente: «Soy delgada, feliz y libre». A partir de ahora, repetirá siempre esta frase a continuación de la fórmula para la felicidad. Y lo hará siempre, ¡durante todo el tiempo que dure su programa mental para adelgazar!

Esta fórmula mágica tampoco fue creada al azar, sino como consecuencia de las leyes psicológicas:

- Enuncia el placer que usted siente al tener una figura delgada y vivir una sensación de libertad vital. Y lo hace en presente. Es decir, aquí y ahora. Así concede prioridad al estado deseado y lo considera como una realidad psíquica.

▶ La fórmula mágica para adelgazar es trascendental y se recita con el mismo ritmo que la de la felicidad.

Producir hormonas

Para poder grabarlas en el subconsciente es importante repetir ambas fórmulas muchas veces al día y con una frecuencia regular. Solamente entonces podrá reaccionar el sistema límbico y dará al hipotálamo la orden de que se ocupe de la producción de las correspondientes hormonas de la felicidad y de la delgadez.

Paso 5: Hipnosis activa

La hipnosis activa es un método para los seguidores avanzados del programa mental para adelgazar (entre los que usted ya se cuenta) que consiste en colocarse en un estado de profunda relajación para programarse las nuevas sensaciones vitales de «delgada y feliz». Se trata de una interesante combinación de entrenamiento autógeno y autosugestión.

Se consigue muy fácilmente:

▶ Estírese sobre una base blanda y apoye la cabeza sobre un pequeño cojín. Practique durante cinco minutos los ejercicios de peso y de calentamiento del entrenamiento autógeno (éstos son suficientes, véase también el paso 4).

▶ Ponga un reloj con un «tictac» audible en el centro detrás de su cabeza e intente fijarlo con los ojos (a pesar de que no podrá verlo).

▶ Ahora pasará lo siguiente: sus globos oculares se pondrán automáticamente en la posición de «dentro-arriba», que en muchas culturas y religiones se emplea para obtener un estado similar al del trance.

▶ Según los más recientes estudios neurofisiológicos, esta posición de los ojos desencadena un determinado reflejo en el cerebro. Éste actúa sobre una reacción espontánea y hace que los músculos pierdan tensión y que el estado de vigilia consciente se desplace hacia el estado alfa. Se produce una especie de estado de trance en el que, sin embargo, usted podrá seguir actuando de modo consciente.

▶ En este estado de la hipnosis activa es necesario que usted repita sus dos fórmulas mágicas por lo menos 20 veces.

Puede estar segura de esto: su psique y su cuerpo no tardarán en reaccionar programando la mente para «feliz» y el metabolismo para «fundir grasas»... Y esto es sólo el principio. Porque a partir de ahora disfrutará de una nueva vida en la que se sentirá delgada y mucho más feliz. Y para ello existen todavía muchas otras técnicas que le serán de gran ayuda para seguir el camino que se ha propuesto. Podrá elegir los ejercicios según su estado de ánimo

Es muy importante que el entreno resulte divertido

y combinarlos entre sí. Pero para que estas técnicas realmente puedan llegar a asentarse es mejor que al principio procure mantener una cierta regularidad. Mientras dure su programa de adelgazamiento, en la hora que dedique diariamente a adelgazar podrá combinar todos los ejercicios entre sí. Lo importante es que realice cada ejercicio hasta el final y que nunca lo interrumpa antes de acabar.

Elija en función de su estado de ánimo

IMPORTANTE

Usted puede formular cada semana nuevas afirmaciones (según le hagan falta) para su uso particular. Puede escribirlas en hojitas de papel para mensajes y pegarlas por todos lados para poder leerlas en cualquier momento. También puede pronunciarlas en voz alta o simplemente pensarlas. Lo importante es que reciba su estímulo muchas veces a lo largo de la jornada, a ser posible, cada hora.

Paso 6: Afirmaciones

Las afirmaciones son órdenes al subconsciente en forma de frases cortas que usted se envía a sí misma. Son muy efectivas y fáciles de usar. Y estas afirmaciones actúan sobre su subconsciente con toda seguridad, pues desencadenan una intensa reacción tanto en el cerebro como en la mente. Piense con todas sus fuerzas «Esto no lo voy a conseguir nunca» y puede estar segura de que jamás lo conseguirá. Pero si refuerza una idea tal como «Estoy segura de que lo conseguiré», entonces en su interior se abrirán las puertas al éxito.

Formular correctamente las órdenes al Yo

Para que las afirmaciones funcionen deben tener la siguiente forma:

- Tienen que ser concisas y no han de contener más de siete palabras.
- Tienen que estar formuladas en presente, porque el subconsciente sólo toma en serio aquello que es real.
- Tienen que ser expresiones positivas; por tanto, nada de «No quiero seguir siendo gorda», sino: «Consigo ser delgada». He aquí algunos ejemplos de afirmaciones positivas para adelgazar: «Me siento feliz y liberada», o «Siento un gran bienestar general». Cada día deberá repetir varias veces estas frases u otras similares.

¡La dicción es importante!

Paso 7: Imaginaciones

Las imaginaciones constituyen una técnica muy importante y útil para conseguir una nueva sensación vital (o una nueva sensación de delgadez). Se trata de imaginar los procesos y las mejoras deseadas viviéndolos internamente de forma muy intensa y con todos los sentidos mientras se está en un profundo estado de relajación.

Una experiencia muy profunda

La fuerza de la imaginación

Y esto, en su camino hacia la figura ideal significa lo siguiente: si se imagina el proceso de soltar lastre de un modo real, entonces en su subconsciente se sientan las bases para que esto también suceda en la realidad. A continuación veremos un par de ejercicios como ejemplo. Así, o parecidas, pueden ser las imaginaciones que usted deberá practicar durante diez minutos en su hora «privada» diaria a lo largo de seis semanas.

La escalera mecánica

Siéntese y relájese por completo. Cierre los ojos y respire profundamente 20 veces. Luego imagínese la siguiente escena:

- Usted asciende por una escalera mecánica y sube arriba y arriba un piso tras otro. La escalera mecánica se desliza con toda suavidad y la lleva sin esfuerzo hacia las alturas.
- Cuanto más asciende, más atrás deja todos los pensamientos molestos y negativos; cada vez se siente más libre, tranquila y suelta.
- También le es fácil hacer que se desprendan sus odiadas acumulaciones de grasa. Puede separar la grasa en pequeños paquetes como si se tratase de un lastre innecesario.
- Como por arte de magia, en cada piso se encontrará a un criado al que le podrá poner un paquete de tres kilos de peso en las manos.
- Cuando llegue al último piso se abrirá ante usted una plataforma de observación maravillosamente lumi-

Cuanto más suba, más kilos perderá

nosa. Gozará de un estupendo panorama sobre la ciudad o los paisajes que ama. Se sentirá delgada, libre, feliz.

Los globos voladores

Veamos una segunda imaginación liberadora: Usted se encuentra en un lugar en el que se halla totalmente tranquila y relajada, como por ejemplo un claro del bosque sobre el que incide la luz del sol; o una playa, con ese sabor a sal en el aire...

Los pensamientos negativos, enciérrelos en globos y...

Entonces, imagínese lo siguiente:

- En la mano tiene unos cuantos globos de colores, pero todavía no los ha hinchado.

- Regrese a sus antiguos pensamientos de obesidad, algo así como: «Esto es algo genético; estoy predestinada a ser gorda, no hay nada que hacer...».
- Hinche ahora el primer globo, métale dentro esas ideas negativas acerca de su obesidad y ciérrelo con un nudo. Imagíne cómo deben estar sus ideas en el interior; encerradas y sin posibilidad de salir para hacerle daño.
- Luego déjelo ir. El globo sube y se lleva para siempre los pensamientos negativos.
- Haga lo mismo con el segundo, con el tercero, el cuarto... de los pensamientos acerca de su obesidad y alégrese: este lastre psíquico ya ha volado.

Deje que lo negativo se vaya volando

- Cuando ya haya soltado todos los globos, retenga esta sensación durante unos momentos: Me siento liberada, un gran lastre se ha ido volando. Sin preocupaciones, sin tener que realizar ningún esfuerzo. ¡Saboree esta sensación de felicidad!

La danza de los duendes

En este tercer ejercicio, imagínese la siguiente situación con todo lujo de detalles:

- Usted está en un escenario bailando al son de la música del ballet «Romeo y Julieta». Se mueve con una gracia y una elegancia indescriptibles. Su cuerpo gira y casi flota en el aire.

Y de repente nota que pierde peso en cada uno de sus giros. Se siente como la princesita de los duendes del cuento que danzaba durante toda la vida al no tener peso. Y usted se siente tan liberada como ella.

Una mañana de verano en los Alpes

Una idea liberadora

A primera hora de una mañana de verano usted se encuentra al pie del Matterhorn, en los Alpes. Empieza a ascender por los prados, pero no quiere llegar hasta la cumbre, sino hasta algún lugar desde el que pueda disfrutar de una buena vista. Y para ello vale la pena forzar un poco los músculos: se esfuerza por continuar el ascenso. Respira el aroma de los prados de alta montaña, disfruta del imponente paisaje de las montañas. Y en su cuerpo también nota una agradable sensación: pierde peso a cada paso que da. Y gana puntos de felicidad para el sistema límbico, energía. Vive un estado de felicidad pura.

Paso 8: Visualizaciones

Las imágenes internas tienen una fuerza mágica. Cuando nos imaginamos cosas de un modo muy intenso, percibiéndolas con todos los sentidos, metiéndonos en nuestro propio «cine mental» y sumergiéndonos en la situación como si lo hiciésemos en el mar, entonces nuestro cuerpo reacciona como si fuese real. Las imaginaciones intensas y acompañadas de imágenes las denominamos visualizaciones. La visualización es similar a la imaginación, pero con esta técnica no nos planteamos el proceso a seguir, como por ejemplo adelgazar, sino la meta a conseguir (por ejemplo: «Soy libre, me he librado de mis kilos de más»). La visualización también hace intervenir a todos los sentidos y asimismo actúa sobre el centro emocional del cerebro para reflejarse en el subconsciente –y en el cuerpo–.

Intensifique las imágenes internas

Las visualizaciones de colores activan al cerebro

Por ejemplo, el cerebro emite impulsos que viajan por los nervios hasta llegar al sistema nervioso vegetativo, y esto es lo que nos hace sudar cuando creemos que el profesor nos está observando mientras realizamos un examen. También es esto lo que hace que nos fluya saliva por la boca al imaginarnos uno de nuestros platos favoritos. Si lo desea, puede comprobarlo fácilmente: imagínese que muerde un limón muy ácido. ¿Y? Seguro que su boca se ha contraído y el flujo de saliva ha aumentado de inmediato. ¿Aún tiene dudas?

Pero las visualizaciones también pueden actuar sobre la pro-

Secreción de hormonas

La ciencia confirma la potencia de la imaginación

La fuerza de la imaginación nos ha sido demostrada por los sorprendentes resultados de un estudio realizado en Estados Unidos: Se realizó una experiencia en la que la mitad de los voluntarios participaron en una serie de sesiones de entrenamiento físico mientras que la otra mitad solamente se imaginaba que realizaba los ejercicios de musculación. Al final de la prueba, que duró tres semanas, se comprobó que ambos grupos habían experimentado un aumento de su masa muscular. Los investigadores lo explican de este modo: El pensar intensamente en «desarrollo muscular» hace que el cerebro envíe impulsos a las más finas fibras musculares. Y éstas reaccionan con una vibración imperceptible, pero con resultados medibles.

ducción hormonal. Porque el cerebro le da la siguiente orden tanto al tálamo (la puerta de entrada al consciente) como al hipotálamo (el centro de control hormonal): «Controla la situación que se está produciendo en este momento. Haz todo lo que sea necesario». ¡Y esto es así aunque la situación solamente exista (intensamente) en nuestra imaginación!

Imágenes para sentirse mejor

A partir de este momento, y durante varias semanas, deberá incluir en «su hora» alguna de las siguientes visualizaciones u otras que a usted le puedan parecer igualmente agradables. Dedique diez minutos a dejar que una maravillosa visión se materialice en su interior, y disfrute de las agradables sensaciones que le deparará. Después relájese de nuevo con el entrenamiento autógeno (paso 4). Luego note lo bien que le sientan esas imágenes.

También puede ver imágenes en alternancia

Además: Si alguna vez no dispone de tiempo suficiente como para poder tomarse «su hora», puede alternar las visualizaciones con las imaginaciones. Pero es necesario que dedique por lo menos cinco minutos a cada visión interior (¡por lo menos!), de lo contrario no sirven para nada.

Sal sobre su piel

Se siente libre corriendo por una larga y ancha playa. Huele la brisa del mar y saborea la sal del aire. Abre los brazos y se gira sobre sí misma. Han desaparecido todas las

En su imaginación, usted se siente libre y hermosa

cargas de su vida cotidiana y también todos sus kilos de más. Todavía es temprano, pero ya nota cómo los rayos de sol acarician su piel. Se acerca a la orilla y nota el frescor del agua en los pies, vuelve a correr por la arena... ¡Y nota con toda intensidad su energía, su alegría vital y su recién adquirida movilidad. Es delgada y feliz!

La reina de la fiesta

¡Una fiesta estupenda! Usted, con su espléndida figura y su ligero traje de noche es incuestionablemente la reina de la fiesta. Se siente estupenda, amada y querida. Es la diosa del evento. Y entonces empieza a bailar: se han esfumado todas las preocupaciones de la vida doméstica; solamente nota el ritmo embriagador, sus movimientos, su cuerpo, que sigue la música como si se moviese por sí mismo. Usted está preciosa, delgada y deseable...

La princesa de los hielos

Pensamientos mágicos

Un lago de montaña con la superficie cubierta de hielo y resplandeciente bajo el sol invernal. Usted lleva puesto un magnífico equipo de patinaje y se desliza suave y grácilmente sobre la superficie helada. Ve el brillo y los destellos de los cristales de hielo. Se siente ligera e ingrávida como una princesa de los hielos. Finalmente han desaparecido esos antiestéticos michelines, y con ellos se ha ido también la idea de que usted no era atractiva. Sus movimientos son elegantes y la gente se maravilla al contemplarla. Hacía mucho tiempo que no se sentía tan contenta y tan feliz consigo misma.

Paso 9: Visiones para arrojar el ancla

Lo tiene a la vista, lo percibe con cada una de sus fibras: está en el mejor camino para ser delgada y feliz. Y esto simplemente con la fuerza de sus ideas y la magia del poder mental. Es importante que ahora ancle estos planteamientos firmemente en su interior. Para ello se recurre a una técnica derivada de la programación neurolinguística (NLP); un método psicológico en el que los estados sensoriales deseados se acoplan a un iniciador.

Durante las primeras seis semanas deberá practicar esta técnica por lo menos diez minutos al día (en su «hora para adelgazar»). Cuando haya aprendido a acoplar una visualización especialmente intensa y gratificante a un «abrepuertas», en adelante logrará hacerlo automáticamente en cuestión de segundos.

Sumérjase en la imagen

Representar... en la cabeza

Y así es como funciona: elija una de las escenas que hemos propuesto anteriormente (o cualquier otra que a usted le suponga una experiencia muy agradable). Represéntela en su imaginación y penetre en ella. Por ejemplo, el baile de la princesa del hielo, en el que se siente ingrávida y baila casi como si estuviese en trance...; o la mañana de verano en las montañas, con el cielo de un color azul profundo y las cumbres nevadas que parecen estar al alcance de la mano...; o, sencillamente, lo que a usted más le guste...

Instale esa imagen interior. Es decir: Penetre en estas escenas lo

En sus recuerdos, relacione las montañas con los olores de los prados

Cambie sus preferencias

más intensamente que pueda y dibújese a sí misma con colores que sean lo más variados, intensos y llamativos posible. Emplee a fondo todos los sentidos: perciba el aroma de los prados de alta montaña y el olor de las flores, note el viento frío en la frente, sufra el esfuerzo al que somete a sus músculos durante el ascenso, disfrute de la vista de la cumbre contra el azul del cielo... Ahora ya está arriba. Indescriptible: ¡La invade una infinita sensación de bienestar!

¿Y qué puede hacer si al visualizarse feliz a sí misma se ve como la más gorda y comilona de todo su círculo de amistades?

Tampoco es un gran problema: puede imaginarse a sí misma ligera y sin que ello implique que tenga que dejar de comer lo que le apetezca (ver página 85). Llegará un momento en que su sensación de delgadez y de bienestar optará automáticamente por otras imágenes.

La felicidad está en los dedos. ¡Basta chasquearlos!

Cuando ya haya conseguido grabarse la sensación de bienestar, entonces relaciónela con un movimiento sencillo. Puede ser tanto un chasquido de dedos como el tocarse la mejilla o la mano izquierda.

Al cabo de algún tiempo le será posible adquirir un reflejo condicionado: para volver a acceder a la sensación placentera le bastará con efectuar el movimiento en cuestión –y esto en cualquier momento y en cualquier lugar–.

SUGERENCIA

Consígase un pequeño talismán. Puede ser una bonita piedrecita, una pequeña figura de jade o un determinado colgante; sencillamente un objeto al que usted se sienta muy unida y que represente algo muy especial para usted. Y relacione su sensación placentera con tocar ese pequeño talismán. Esto le dará fuerzas adicionales...

Conectar con las fórmulas de felicidad y de adelgazar

Una combinación eficaz

Ahora viene lo más importante. Cuando ya se haya ejercitado perfectamente en instalar y relacionar, lo cual supone un trabajo de varias semanas con sus visualizaciones, enlácelo todo a lo primordial: a sus fórmulas mágicas de la felicidad y de la delgadez. Se trata de recuperar la sensación placentera mediante el movimiento elegido (chasquear los dedos, por ejemplo) y al mismo tiempo unirla a las fórmulas de la felicidad y de la delgadez. Es lo que se denomina anclar. Al cabo de un tiempo, usted será capaz de recuperar la sensación placentera en cualquier momento simplemente con un chasquido de dedos y la fórmula. Así, en cualquier situación podrá conectar profundamente sus experiencias placenteras (también en el subconsciente) a las fórmulas que la hacen adelgazar. Llegará un momento en que todo esto funcionará automáticamente.

Pero para que pueda conseguirlo es necesario que durante las primeras seis semanas practique el «anclar y fórmula de la felicidad» durante un mínimo de diez minutos diarios. El resto de su «hora privada» diaria puede dedicarlo tranquilamente a combinar otros ejercicios.

Paso 10: Ensoñación dirigida

Una voz de mando

Después de tres o cuatro semanas es probable que sus imaginaciones, imágenes interiores y visualizaciones ya se le hayan grabado «al fuego». Lo que es seguro es que esos ejercicios le resultarán ya muy sencillos de realizar. Ahora, como guinda, aprenderá un método imaginativo especialmente práctico con el que podrá acceder a todo lo preparado anteriormente (como por ejemplo adelgazar) simplemente empleando una determinada palabra clave: la ensoñación dirigida. Se trata de un tipo de imaginación guiada inconscientemente. Su subconsciente le hará llegar exactamente el término que se adapta a su estado interior. Por tanto, llevará a cabo una imaginación dirigida por una palabra clave seleccionada inconscientemente. Y la palabra clave será exactamente el concepto que en ese momento acuda a su mente. Puede ser «pelota», «flor», «boca»... todo es posible.

Así se hace

¡Lo importante es practicar!

También en este ejercicio: empiece por relajarse completamente. Ahora debería intentar pasar treinta segundos sin pensar absolutamente en nada. (Aunque sea difícil, con un poco de práctica cada vez sale mejor). Entonces, retenga la primera palabra que se le ocurra; aunque también puede tratarse de una idea.

Veamos solamente un par de ejemplos en los que ya puede disfrutar de inmediato de la capacidad de visualización que ha ido ejercitando hasta ahora. Vuelva a imaginar con toda intensidad que ya ha alcanzado el grado de delgadez que deseaba. Que se siente perfectamente en las nuevas proporciones de su cuerpo. Lea a continuación cómo los conceptos pueden estar relacionados con su figura soñada y cómo pueden ser sus ensoñaciones dirigidas.

Luchar contra la corriente

Imagínese, por ejemplo, que la palabra que le viene a la mente es «Arroyo». Imagínese a sí misma nadando en las limpias aguas de un arroyo de montaña. Los esfuerzos que ha de hacer para luchar contra la corriente; la energía que consume para ello... y a cada metro que avanza pierde cien gramos de grasa. Finalmente, sale del agua delgada, fresca y libre.

Supongamos que la palabra que le viniese a la mente fuese «caballo»: Imagínese atravesando un amplio y salvaje paisaje a lomos de un hermoso corcel. Vea cómo su cuerpo se funde con el del caballo, como vuela a galope tendido. Note cómo se tensan sus músculos, cómo se queman sus grasas... y cómo adelgaza. La imagen de la vencedora: usted está en la meta, agotada pero feliz... y delgada.

Usted ve una especie de cine interno

O si la palabra clave es «escenario». La película que ahora se proyecta en su cabeza podría ser esta: Usted se encuentra en el centro de un escenario, con el micrófono en la mano, y empieza a hablar al público comentando los atributos de su nuevo y atractivo aspecto. Para usted es muy sencillo describirse a sí misma y a su nueva sensación vital en términos superlativos. Explica cómo se siente por la mañana, durante el día y al llegar la noche. Resalta sus atributos con colores luminosos. Y le explica animadamente al sorprendido público por qué ahora se siente mucho más sexy que nunca antes en su vida. Los sueños de delgadez también pueden orientarse...

Paso 11: Respirarse delgada

Respirar es vivir. Sin agua podemos sobrevivir de dos a tres días.

Sueñe con una maravillosa escapada

Sin alimentos sólidos podemos aguantar unas tres semanas, según la grasa acumulada. Pero sin oxígeno apenas podemos sobrevivir cuatro minutos: a partir de ese punto empiezan a morir las sensibles células cerebrales.

A lo largo de un año, usted respira unos nueve millones de veces y mueve un volumen de aproximadamente cuatro millones de litros. Si usted mejorase su respiración tan sólo en un 10%, esto significaría la enorme cantidad de 400.000 litros de aire más, que oxigenarían sus células, regenerarían el organismo y mantendrían al cerebro en forma.

El oxígeno excita

Pero usted puede sacar aún mucho más partido a su respiración, como para ayudarla a adelgazar: cuanto más oxígeno fluya por su cuerpo para quemar la energía de las células, transportar los detritos metabólicos y despertar cada célula a una nueva vida, ¡más conseguirá adelgazar!

Los ejercicios respiratorios que veremos a continuación debería realizarlos después del entrenamiento autógeno en su «hora de adelgazamiento». Puede decidirse por dos o tres de ellos antes de realizar un ejercicio de visualización o de imaginación, o de sumergirse en una profunda ensoñación dirigida. Pero los ejercicios respiratorios también puede realizarlos al aire libre o por la noche, cuando se encuentre relajada en su casa...

Liberar la mente

Algunas técnicas respiratorias contribuyen a liberar la mente: una buena condición para poder entregarse por completo a la sensaciones de delgadez y felicidad. Veamos a continuación dos ejercicios de este tipo.

Simplemente por la tarde

Respiración alterna

Tápese con los dedos el orificio nasal izquierdo, respire intensa y conscientemente por el otro orificio. Ahora, cierre el derecho. Repítalo 20 veces en cada lado.

Respiración energética

Siéntese cómodamente con la espalda recta y junte las palmas de las manos de modo que las puntas de los dedos queden orientadas hacia el suelo. Ahora inspire lentamente e imagine que está absorbiendo la energía vital de la Tierra. Durante la lenta inspiración vaya girando las puntas de los dedos hacia el cuerpo y deje que éstos asciendan hasta más arriba de la cabeza. Imagínese que la energía inunda su cuerpo y que llega hasta cada célula. La fase de inspiración finaliza cuando sus manos están por encima de la cabeza.

Ahora empieza la fase de espiración, que también es muy lenta.

Imagínese que pudiese respirar el aire de las nubes

Manteniendo los dedos hacia delante, coloque sus manos formando un amplio arco de la cabeza hacia delante. Al realizar este movimiento, abra ligeramente las manos como si desease verter agua. Repita el ejercicio cinco veces.

Espirar la grasa

Simplemente espirar

Ahora vienen dos ejercicios respiratorios que le servirán específicamente para espirar sus acumulaciones de grasa porque se encargan de activar el metabolismo.

Nubes densas

Acuéstese sobre la espalda y manténgase recta y relajada. Respire profundamente con el vientre, es decir, su abdomen deberá hincharse al inspirar y al espirar volverá a ponerse plano.

- Ahora imagine esto: sobre sus ojos flotan grandes nubes. Al inspirar, el aire de las nubes fluye profundamente en su vientre; al espirar, el aire vuelve a convertirse en una bonita y armoniosa nube en el cielo.
- Al hacerlo, piense esto: las nubes del cielo me respiran por sí solas, sin esfuerzo...

Las olas del mar

Este ejercicio también hace que se fundan las células grasas. Vuelva a ponerse en una posición relajada y respire también con el vientre.

▶ Imagínese esto: Su respiración es una ola del mar. Al inspirar, la ola se desplaza hacia dentro y le llena los pulmones (¡Con oxígeno fresco!).
▶ La transición entre inspiración y espiración es el momento en que la ola rompe y retrocede hacia el mar. Cuando efectúa este retroceso se lleva consigo sus acumulaciones de grasa, gramo a gramo. Simplemente la elimina. Y así en adelante:

Expulse las grasas

▶ Se crea una nueva ola, rompe con fuerza, retrocede hacia el mar...

Apóyese a sí misma

Ahora ya ha estudiado una buena cantidad de técnicas mentales. Se ejercita en sentirse más ligera y más libre, y realmente adelgaza. ¡Pero hay algunas sugerencias y pequeños trucos que le pueden simplificar mucho la labor de lograr su figura soñada!

Reír para adelgazar

El centro de la risa del cerebro fue descubierto por casualidad. Cuando unos neurólogos norteamericanos excitaron una determianda área cerebral de sus pacientes (en principio, para investigar casos de epilepsia), los afectados tuvieron verdaderos accesos de hilaridad. Esta inesperada reacción hizo que tuviesen que ser revisados muchos conocimientos. Hasta la fecha se creía que las emociones que hacen reír a las personas se desplazaban por una especie de vía de sentido único; aproximadamente así: uno se divierte y se ríe (primero en el cerebro, es decir, de modo virtual), y luego el cerebro transmite unos impulsos a los músculos faciales para que marquen la sonrisa.

Pero todo esto es falso. Los estudios de neurofisiología nos muestran que también existe el camino inverso. Cuando la persona tensa sus músculos faciales para reír –incluso en el caso de que se encuentre terriblemente mal–, el cerebro lo registra. Y lo hace en un centro muy complejo que conocemos como área motora suplementaria (AMS). Esta zona del cerebro es la que registra la emoción de «reír». Incluso en el caso de que usted se limite a levantar voluntariamente la comisura de los labios. Entonces el AMS le indica al cerebro: mi jefe (usted) está de buen humor. ¡Por favor, segregue hormonas de la felicidad!

Reír estimula

Las hormonas de la felicidad fluyen

Y éste es el punto clave. Porque seguro que usted se estará preguntando qué es lo que tiene que ver todo esto con adelgazar. Pues mucho: en el cerebro se produce una reacción electrofisiológica que transmite al hipotálamo la orden de liberar

Reír estimula la hormona de la felicidad

hormonas de la felicidad. Y entre éstas se cuentan la serotonina, la dopamina... Y usted ya las conoce. Son esas famosas sustancias de la felicidad que a la vez destruyen la grasa. Por tanto:

Hormonas de la felicidad

- Ríase por lo menos una vez cada hora. ¡A propósito! Alce la comisura de los labios y sonría un poco o ríase a carcajadas, pero no deje la comisura caída durante todo el día. Ni siquiera en un día gris de noviembre o cuando le toque hacer la declaración de la renta.
- Puede emplear esta técnica: espire el aire con fuerza y ría al mismo tiempo.

¿Una recompensa? Se la ha ganado

Así. Ahora ya ha avanzado mucho. Se ha aplicado en las lecciones y se ha esforzado en realizar sus ejercicios mentales, y confiamos en que también se habrá divertido haciéndolo. Ahora es el momento de que pacte una recompensa consigo misma:

- Piense en un pequeño regalo para usted. Puede ser un libro, pero también un bonito paseo nocturno o ir a su cine favorito para ver la última producción de Hollywood...
- También podría tratarse de algo para comer. Si le gusta mucho el

chocolate, ¡pues que sea chocolate! ¿Le encantan los helados? ¡Vaya a la heladería! Usted quiere estar delgada, pero no ha firmado ningún contrato que la obligue a torturarse a sí misma.

▶ ¡Pero solamente obtendrá el premio si puede recordar espontáneamente trece cosas que le hayan parecido estupendas a lo largo de la jornada de hoy!

Así que coja papel y lápiz, y empiece a escribir. ¿No logra pasar de doce? ¡Pues no hay premio! ¿Qué se apuesta a que la próxima vez sí que hará lo posible para que su jornada sea realmente feliz y productiva?

Juegos de dedos

Desde que la cantante Madonna fue madre se ha tranquilizado un poco. Pero cada vez que actúa es una verdadera sensación. Si la pudiese observar detenidamente vería que poco antes de actuar, e incluso cuando ya está en el escenario, entrelaza sus dedos de un modo muy curioso. Lo que hace son «mudras» –gestos de las manos y de los dedos que desde tiempo inmemorial forman parte de la medicina tradicional de muchos países asiáticos–.

Madonna siempre lo hace

Los dedos y las manos se colocan en unas posiciones rituales cuyas finalidades son armonizar el flujo de energía en el cuerpo y estimular el metabolismo. Y al hacerlo se alcanza un estado de paz interior, por lo que desciende el nivel de cortisol (hormona que hace engordar).

Los siguientes mudras son ideales para eliminar lastre de la mente y liberar al cuerpo de grasa.

Mudra del águila

Junte los dedos corazón e índice de cada mano y oriéntelos hacia delante (apartándose del cuerpo). Los otros dedos estarán lo más separados posible. Así, los pulgares apuntarán hacia arriba y ambos anulares y meñiques se separarán hacia fuera. El aspecto de las manos recordará las puntas de las alas de un

Los gestos de las manos y los dedos son muy útiles para combatir el estrés

águila, de ahí el nombre. Durante algunos minutos, mueva las manos a partir de las muñecas como si estuviese dirigiendo un vals. Respire con tranquilidad. Para finalizar, espire con fuerza y sacuda las manos dejándolas distendidas.

Mudras contra el estrés

Los mudras contra el estrés frenan automáticamente la secreción de cortisol (la hormona del estrés permanente que nos hace engordar), por lo que también le ayudarán a conseguir sus propósitos de adelgazar. Y funcionan así: junte los dorsos de los dedos de ambas manos. Frótelos suavemente unos contra los otros. A continuación, junte los pulgares y apoye los demás dedos sobre las yemas de éstos. Respire lentamente alargando un poco las pausas entre inspiración y espiración. Este ejercicio dura cinco minutos.

Mudra de la felicidad y la energía

Para la suerte y la energía

Frótese enérgicamente las manos como si tuviese frío y quisiera entrar en calor. Apoye las puntas de los dedos de la mano derecha en la palma de la izquierda y doble los dedos de ésta sobre ellos. Concéntrese en el plexo solar de su vientre y cuente hacia atrás a partir de 27. Hágalo en voz alta «inspirar 27», «espirar 26» y así hasta acabar...

Mudra contra las tensiones internas

Aquí sucede lo mismo que en los casos anteriores: este mudra no sólo alivia las tensiones internas, sino que además frena la secreción de cortisol. Esto es lo que tiene que hacer:

Masajéese alternativamente ambas muñecas. Luego ponga las manos de forma que los dedos índice, corazón y anular de la mano izquierda se apoyen sobre la muñeca derecha. El pulgar y el meñique estarán colocados bajo los otros dedos y se tocarán entre sí. Mantenga la posición durante diez minutos espirando con fuerza en las primeras doce respiraciones.

Meditación dinámica: para mejorar la línea

Una meditación salvaje

Está científicamente comprobado: los métodos de relajación tales como la meditación reducen la secreción de cortisol en más de un 40%. Es probable que con su actual y dinámica sensación vital le apetezca, para variar, una variante de meditación en la que pueda moverse con ganas. Se puede meditar bailando sin parar, saltando salvajemente y aullando con fuerza. Éste es un ejercicio idóneo para personas inquietas, cargadas de energía y que no quieren permanecer mudas e inmóviles ante una vela o un quemador de incienso.

Cinco etapas que conducen a un salvaje nirvana para adelgazar

La meditación dinámica está articulada en cinco fases.

- Manténgase de pie y respire por la nariz poniendo especial énfasis en la espiración. Respire profunda, rápida y caóticamente. O sea: no todo el rato con el mismo ritmo. El cuerpo no tiene que agarrotarse. Los hombros y la nuca deben mantenerse sueltos, por lo que es muy útil doblar ligeramente los brazos y acompañar los movimientos respiratorios con todo el cuerpo. La cabeza también se moverá al ritmo de la respiración. El efecto es el siguiente: esta técnica respiratoria bombea energía en el cuerpo y ésta se irá acumulando hasta que se descargue en la segunda fase. Duración: cinco minutos.

Déjese llevar por el ritmo

- La segunda fase ha de ser salvaje. ¡Sáquelo todo! Durante tres minutos: ¡explote!, ¡grite!, cante, llore, baile, péguese con la almohada... en otras palabras, haga todo lo que la libere. En esta fase ha de ser el cuerpo el que lleve la batuta. En esta meditación ha de dejarse ir por completo y liberar todas las sensaciones reprimidas.

Efecto: En la segunda fase se viven emociones reprimidas: ira, frustración, tristeza, para las que la vida cotidiana no tiene ninguna válvula de escape válida, como por ejemplo una amiga, un compañero o un amigo. Percibe sus sentimientos, los deja ir y los expulsa. Una verdadera limpieza mental. Un programa anticortisol. Y un método muy efectivo para adelgazar...

- ¡Ahora hay que saltar! Con los brazos levantados y sin tensar los hombros ni la nuca, salte sobre el sitio y cada vez que toque el suelo grite un fuerte ¡Ya! Ha de ser un grito profundo, que le surja del vientre. Pero no ha de saltar rebotando con las puntas de los dedos, sino que lo ha de hacer con toda la planta del pie. Y para ello ha de cuidar mucho la posición de todo el cuerpo: no curve la espalda.

Ahora va a por las reservas

En esta fase se movilizan las reservas de energía. Al cabo de un rato se dará cuenta de que tiene más energía de la que creía. El corazón y el aparato circulatorio funcionan a toda marcha. Y la grasa se quema. Si logra superar la sensación de «ya no puedo más», saldrá de esta fase del ejercicio con un notable aumento en su autoestima. Duración de la fase: tres minutos. Y los kilos desaparecerán volando.

- Ahora vuelva a recuperar la calma. ¡Pero no se siente! Permanezca de pie en el lugar en que está. La fase de reposo es el momento en que usted cierra los ojos para escucharse a sí misma y convertirse en observa-

Al acabar la meditación dinámica también necesitará paz y tranquilidad

dora de sus pensamientos, sentimientos y sensaciones.

En esta cuarta fase se encuentra a sí misma y se distancia de todo aquello que la lastra o la mueve. Notará una profunda paz interior. Camine unos pasos en silencio. Esta fase dura cinco minutos.

▶ La última fase de esta meditación consiste en bailar o moverse con música relajante. Armonía, ritmo, regreso a la rutina diaria con una sensación vital nueva y refrescante. Concédase de tres a cinco minutos para ello. Muévase distendidamente, ligera –como si quisiese expulsar definitivamente el lastre de cada día–. Fíjese en su estado interior: ¿No se nota cansada, pero también libre e invadida por una profunda sensación de felicidad?

«Trampas alimenticias» biográficas

Los ejercicios y técnicas que hemos ido viendo hasta ahora iban dirigidos principalmente a su subconsciente, sus emociones (y con ellas su sistema hormonal) se expresaban directamente y sin ningún tipo de filtro racional. Pero también es importante aclarar y analizar críticamente los motivos psicológicos que hacen engordar y causan la obesidad: ¿Es posible que a mí también me afecte este mecanismo psíquico? ¿Lo tengo también en mis antecedentes? Porque las acumulaciones de grasa suelen estar profundamente arraigadas en la mente. Y habrá que empezar por «desnudarla» y verse con más detenimiento antes de dar más pasos hacia la figura ideal.

Causas psíquicas profundamente arraigadas

La felicidad y la desgracia del bebé

La pequeña carita se arruga por todas partes, el rostro adquiere un color rojo intenso y finalmente se descarga todo con un grito explosivo. Su significado: ¡Mamá, hambre! El bebé llora para indicar que le ronronea el estómago.

Todo se arregla...

Entonces acude su madre y todo se arregla. El olor de la madre calma inmediatamente al pequeño. Y la solución está allí donde el olor de la madre se hace más intenso (siempre según la naricita del bebé): el pezón materno. Allí está la fuente de toda su felicidad: ¡amor maternal, leche! El bebé mama y mama a gusto y luego deja ir un eructo de satisfacción. ¡Así! Suficiente por ahora. No se puede ser más feliz. Se impone esta sencilla igualdad: felicidad = saciado y dulce, comer = confortabilidad. El impulso de comer es el instinto humano más primitivo y el primero que se manifiesta. El niño quiere mamar, beber, comer: mucho antes de que aparezcan los impulsos sexuales o la necesidad de lograr reconocimiento y éxito en la vida.

Al principio sólo cuenta la nutrición

Explosión en la mente infantil

Durante los primeros días, semanas y meses de vida, en el cerebro del bebé se produce una especie de explosión. El cerebro está desarrollándose con rapidez y crea trillones de conexiones (sinapsis) entre sus 100

Muchos niños aprenden que el chocolate «da la felicidad»

billones de células nerviosas (neuronas). Y es a través de estas conexiones por donde circulan los impulsos de la información que se transmite. Así se sientan las bases para pensar, sentir, actuar... para toda la vida.

Unas conexiones determinantes

Estas conexiones iniciales que se producen en el cerebro son las que determinarán todo lo que sucederá en la cabeza a lo largo de toda la vida (y las vivencias). Están profundamente grabadas en el cerebro. Esto también se aplica, y muy especialmente, a los hábitos alimenticios: la fórmula de alimento = felicidad corresponde a una de las primeras y más básicas experiencias del ser humano. La dulce leche materna se convierte en símbolo de calor, amor y protección... y aquí es donde empiezan los malentendidos que luego se manifiestan con tanto peso. Y es que el cerebro del bebé no sólo aprende automáticamente las primeras y sencillas relaciones de la alimentación, como: comida = felicidad. A partir de ellas, el cerebro no tarda mucho en establecer una generalización. Al cabo de algún tiempo, el conejito de Pascua de chocolate consolará al niño por la herida que se ha hecho en la rodilla, luego será la hamburguesa con patatas y cola la que le haga olvidar las malas notas del colegio...

Estimulación temprana

Y este sencillo pero eficaz mecanismo también suele activarse en los adultos. Y esto sucede principalmente cuando existe algún déficit emocional: dedicación, protección, amor. Cuando hacen su aparición las frustraciones, las angustias o la tristeza. Es entonces cuando buscamos consuelo en una tableta de chocolate o en un trozo de pastel –¡y esto generalmente nos hace engordar!–.

Estructuras alterables del cerebro

Por suerte, estas vivencias tempranas pueden reprogramarse. Actualmente sabemos que las estructuras neuronales del cerebro no son inamovibles. Incluso los sentimientos más profundamente grabados no es como si estuviesen cincelados en piedra. El cerebro puede analizar racionalmente sus programas antiguos y borrarlos para sustituirlos por otros nuevos. ¿Que cómo funciona esto? Con la ayuda de métodos cognitivos.

También son posibles otras sensaciones

Técnicas cognitivas

En latín, «cognoscere» significa conocer. Por tanto, cognición es conocimiento. Las técnicas cognitivas son métodos psíquicos (y psicoterapéuticos). En un primer paso agudizan su consciente, y en el segundo cambian mediante la razón (y nuevas vivencias) en una determinada situación.

Un puente en su biografía

El primer paso consiste en identificar las profundas raíces psíquicas del problema. Se trata de establecer un puente en su propia biografía. La técnica que se emplea para esto se conoce como «meditación biográfica». Y esto significa simplemente:

¿Qué son esas sensaciones?

- Identifique claramente cuáles de sus sentimientos actuales están ligados a un determinado hábito alimenticio. Si en el restaurante insiste en comer postres a pesar de haber comido ya hasta la saciedad; cuando se levanta sigilosamente por la noche y va a la nevera: ¿Qué es realmente lo que le pasa?
- Siéntese relajadamente en su lugar de descanso habitual y perciba profundamente lo que sucede en su interior: ¿Cuándo y en qué situación experimentó esta sensación (que hoy vuelve a buscar inconscientemente) por primera vez en la vida? ¿Cuándo tuvo sensaciones (o placeres) similares? ¿Quizá cuando su madre le preparaba amorosamente la comida para aliviarle las penas? ¿Cuándo su abuela le abría la caja de las galletas con un gesto de complicidad? ¿O fue cuando su hermano mayor compartió una tableta de chocolate con usted?

A veces no nos apetecen los postres

Desplazamientos en el aquí y el ahora...

Emplee su imaginación para penetrar profundamente es esos recuerdos:

- Procure percibir con la máxima precisión todos y cada uno de los detalles de esa imagen, y especialmente de las sensaciones y matices que experimentó en su día. Ahora viene el siguiente paso:

▶ Trasládelo todo al «aquí y ahora» (es lo que llamamos desplazar): Cite espontáneamente los hábitos (alimenticios) que sigue teniendo hoy en día igual que hace tantos años. Imagínese con el mismo grado de detalle cómo se ve hoy en esas situaciones actuales. Percíbalas claramente con todas sus formas, colores, sonidos, olores y sensaciones cutáneas... y con todas sus viejas emociones del pasado que ya no encajan en este contexto.

▶ Ahora, considere esto racionalmente: Hoy las cosas han cambiado, y usted ya es una persona adulta. Toma sus propias decisiones y es responsable de lo que hace, de lo que piensa y de lo que siente.

...y transformaciones emocionales

Ahora tiene que conseguir –y éste es el paso más importante– distanciarse todo lo posible de esas antiguas emociones.

▶ Vuelva a profundizar en las imágenes del «ahora» y dígase en voz baja: «Hoy puedo vivir las cosas de otro modo». Siéntase internamente como una vencedora que no necesita vaciar el plato para recuperar viejas y placenteras sensaciones, sino que consume solamente las cantidades que realmente le convienen al estómago, la figura y la mente.

Disfrute al imaginarlo

Vea cómo a usted solamente le gusta comer verduras y un pescado ligero. Cómo paladea cada bocado dejando que se le deshaga en la boca para disfrutar de todo su sabor. Y cómo después se enfrenta a su jornada llena de alegría y de energía. Si consigue hacerlo, habrá avanzado mucho. Porque ahora todavía tiene que realizar un viaje imaginario.

Viajes como alternativas sensoriales

Emociones muy profundas

Ahora va a tener que buscar intensamente algunas alternativas que le resulten satisfactorias.

▶ Considere cuáles son realmente las emociones que desea vivir a través de la comida (y que sigue añorando según sus viejos recuerdos). Piense de qué otras alternativas dispone actualmente para vivir esas mismas emociones y que a la vez sean más sanas y quizá más activas.

▶ Al final del entrenamiento cognitivo tendrá que actuar de modo muy frío, racional y concreto: tome una hoja de papel y escriba cinco alternativas para picotear chocolate, asaltar la nevera por la noche o comer desmesuradamente. Por ejemplo: Para sentirme igual de bien y de protegida podría visitar a mi mejor amiga y charlar un rato con ella, ir a la sauna a que me den un masaje y, y, y...

▶ Ahora, subraye espontáneamente la alternativa que le parezca más apetecible, la que haga que se le erice la piel.

Y esto, hágalo de inmediato , o en su próximo día libre. ¿Prometido?

¿Niño gordo, niño bueno?

En muchas familias, desde la más tierna infancia se marca una relación amor = comida que luego va arraigando como obvia. Y en el cerebro infantil (que está en pleno desarrollo), si los padres emplean esta fórmula como método acaba por grabarse la sensación de que «saciarse significa ser feliz».

La intención era buena...

Los padres lo hacen con buena intención. Toman al pie de la letra la relación entre comer y ser feliz y realmente creen que un niño gordito también debe ser muy feliz. ¡Si eso se ve a simple vista!

Y usted sigue fomentando esa relación: relaciona portarse bien con recibir dulces u otras golosinas. Y con ello no hace más que estimular a sus hijos a comer más de lo necesario: el niño es felicitado cuando deja el plato «completamente limpio». Pero si el pequeño ya no tiene más apetito, seguro que le reñirá diciéndole: ¡Haz el favor de acabar lo que tienes en el plato!

¿Comer todo lo que hay en el plato?

Resultado: la persona que come por estrés

Si esta relación se prolonga durante la infancia y la juventud, provoca una intensa asociación entre el comer y la obediencia (a los pa-

Una buena charla puede ser una excelente alternativa

dres). El que es bueno y obediente será premiado y recibirá cariño.

Este mecanismo psicológico puede arraigar muy fácilmente. Los psicoterapeutas lo conocen como «condicionamiento positivo»; con la consecuencia de que, en adelante, comer también será una muestra de obediencia y recibirá una gratificación; por lo menos inconscientemente. En las situaciones de estrés, preocupaciones o momentos complicados de la vida, la tendencia será a comer más de lo necesario. Y entonces es cuando pueden llegar los problemas. Este tipo de personas suelen ser obesas y comen inducidas por el estrés.

El estrés hace que se despierte el apetito

Comida en vez de amor

Todavía peor es el caso en que la relación comer = amor se altera sigilosamente. Esto suele suceder en aquellos casos en los que los padres se cuidan más de sí mismos y no ponen al niño en primer lugar. Ahora ya no se trata de que comer más signifique obediencia, sino de que la comida sustituye al amor. Y es algo que sucede frecuentemente cuando los padres no disponen de mucho tiempo para sus hijos o no les hace demasiada ilusión cuidar de ellos.

El cerebro asocia los momentos felices con el comer

Si el bebé llora, recibe un biberón, aunque todavía no sea la hora. Cuando el niño tenga cuatro años, le darán un caramelo en cuanto empiece a llorar. A los seis años, si se cae y se hace daño, su madre intentará consolarlo dándole un trozo de chocolate. El niño sonríe feliz y su cerebro se acostumbra a asociar la comida con la sensación de felicidad. Se produce una reacción en el centro emocional del sistema límbico y éste transmite las señales simultáneamente al cerebro y a los demás reguladores hormonales. Y todo esto junto es lo que sienta las bases de la fórmula: comida = sustituto afectivo. La persona afectada acaba comiendo por frustración.

Dulces en vez de amor

Descubrir las raíces

En ambos casos es posible emplear la meditación para descubrir los orígenes de sus hábitos alimenticios actuales. Para ello, siéntese relajadamente en un sillón. La primera vez, dedique a cada una de las siguientes meditaciones por lo menos media hora de su «tiempo para adelgazar» o, mejor aún, una hora entera.

- Deje la cabeza ligeramente colgante, respire con tranquilidad y cuente 20 veces sus respiraciones. Entonces empiece a recordar y deje que las siguientes imágenes fluyan ante su mirada interior:
- ¿Qué sucedía cuando usted se portaba bien y comía todo lo que había

en el plato? ¿Sus padres estaban contentos por tan evidente señal de bienestar infantil, y lo exteriorizaban claramente?

- Profundice también en esta sensación: la felicidad infantil, la sensación de fortaleza interna cuando se sentía apreciada y valorada por sus padres: ¿Cómo la sentía por aquel entonces?

Pasar al aquí y ahora

- Efectúe un desplazamiento, pase al día de hoy: ¿Cuáles de sus emociones de adulto se parecen más a aquellas sensaciones?
- Ahora, cámbielo: ¿Qué posibilidades tiene hoy en día para poder revivir aquellas sensaciones sin tener que recurrir a la comida?

Localice el sustituto afectivo oral

Lo mismo tendrá que hacer con el segundo problema psicológico, «comida en vez de dedicación y amor». Relájese del mismo modo que antes y luego sienta en sí misma:

- Recuerde alguna ocasión en la que sus padres le diesen algo especial para comer. ¿Emplearon el alimento como consolación? ¿Le daban dulces para premiar su buen comportamiento?
- ¿Y cómo se sentía usted antes de recibir esas golosinas? ¿Sola? ¿Abandonada? ¿Incomprendida? ¿Triste? ¿Desgraciada?
- ¿Cuándo y de qué modo la hacían feliz? ¿Cómo aceptaba las golosinas? Perciba las sensaciones de esos cambios emocionales.
- Trasládelo todo al «ahora». ¿En qué circunstancias actuales intenta usted revivir exactamente esa sensación infantil de felicidad?
- Sustituya esos sentimientos por emociones nuevas elegidas por usted misma. Y dígase en voz medio alta: «Hoy quiero definir de nuevo esos puntos de felicidad».

El ejemplo de la mesa familiar

A veces, los dulces no son más que un consuelo

A veces todo es psicológico pero a la vez mucho más trivial, y sin embargo sigue afectando durante toda

IMPORTANTE

Meditar en los recuerdos puede suponerle un cierto esfuerzo emocional, ya que inevitablemente aparecerán momentos de felicidad y de desgracia vividos durante la niñez. Al recordar esa parte de su vida quizá será mejor que deje de lado algunos recuerdos. Pero si éstos son tan fuertes que le causan una inestabilidad emocional, será mejor que busque la ayuda de un profesional.

Los ejemplos influyen

la vida. El ejemplo de los padres marca a los hijos de muchos modos. Y es probable que ésta sea la explicación de que más de la mitad de los padres obesos luego tengan hijos obesos. Y esto no es únicamente algo que esté grabado en los genes y que se transmita de modo hereditario. El ejemplo de los hábitos alimenticios de los padres actúa del siguiente modo sobre el cerebro y la mente del niño: durante la infancia se fortalecen las conexiones neuronales y las vías nerviosas que luego se encargan de desencadenar este comportamiento. Por decirlo de algún modo, es como si su sistema límbico recibiese una aplauso de felicitación en forma de puntos de felicidad. Y esto se marca muy hondo. Para alterar sus hábitos alimenticios puede serle de gran utilidad plantearse las siguientes frases durante su meditación de recuerdos y afrontarlas emocionalmente por su base:

Interesante: la comida familiar

- ¿Cómo era la principal comida en familia del día (generalmente la cena)? ¿Qué se servía en la mesa? ¿Había demasiado para comer?
- ¿Cómo comían su padre y su madre? ¿Con prisas, con hambre, relajadamente, disfrutando de cada plato, en abundancia, con moderación?
- ¿Qué ambiente había a la hora de comer? ¿Distendido, de buen humor y con ganas de disfrutar de una buena comida? ¿O había tensiones, discusiones, enfados y mal ambiente en general?
- ¿Había en su familia algún lema respecto a la comida? ¿Algo así como: «Se come lo que se sirve en la mesa», o «Comer y beber es bueno para el cuerpo y para el alma»?

Intente recordar cada una de estas situaciones notando las emociones de entonces y sus reacciones actuales. Porque todo esto puede ser la causa de que usted realmente tenga problemas para comer solamente lo que necesita su cuerpo; que es lo que normalmente hacen las personas delgadas.

Los siguientes pasos corresponden a las etapas cognitivas descritas anteriormente.

Celebración festiva: asociaciones desconocidas

Cuando el rey Arturo y sus caballeros se sentaban a su legendaria mesa redonda no lo hacían solamente para comentar batallas ni para decidir algún rescate. Los nobles caballeros se reunían principalmente para comer juntos. Devoraban jabalíes enteros y bebían ingentes cantidades de bebidas alcohólicas. A lo largo de los siglos, la imagen de los placeres excesivos siempre ha ido unida a la de comer en abundancia. Tanto si se trata de la Grecia clásica como de las orgías de la antigua Roma, los excesos de comida siempre eran una constante.

La comida siempre sienta mejor en buena compañía

También en su familia...

Hoy en día, muchas de las fiestas familiares siguen estando marcadas por un patrón semejante. Tanto si se trata del cincuenta aniversario de la tía Ana como si lo que se celebra es el bautizo del pequeño David, se llenan los platos hasta que las mesas casi se doblan. Para muchos niños y adolescentes, estas fiestas son algunos de los momentos más importantes del año. Así es fácil que surja lo que los psicólogos conocen como asociaciones: establecer una relación inconsciente pero psíquicamente efectiva, de alegría vital = comer; celebrar = llenarse. También en este caso la meditación biográfi-

Una celebración

ca puede ayudar a aclarar algunas relaciones muy profundas.

▶ Vuelva a vivir las fiestas familiares viéndolas desde su interior. ¿Qué ambiente había en esas celebraciones: distendido, divertido? ¿De qué modo relacionaba entonces las mesas bien servidas con la sensación de felicidad y de alegría vital?

▶ Ahora vuelva a trasladarse al momento actual: ¿En qué situaciones revive hoy en día aquellas antiguas emociones? ¿Sigue relacionando el ambiente festivo con el comer y beber en cantidades ilimitadas? Los pasos siguientes deberá realizarlos del mismo modo que hemos indicado anteriormente.

¿Celebrar con la abundancia de antaño?

Conflictos no superados

La atractiva, pero algo gruesa, actriz Marianne Sägebrecht reconocía en cierta ocasión: «Antes yo era delgada. Pero después de algunos desengaños amorosos decidí esconder mi delicada alma detrás de una gruesa coraza, para que mis pretendientes me dejasen en paz...».

La obesidad puede tener unos orígenes psicológicos muy complejos. Las personas obesas suelen ser muy delicadas y reaccionan mal a las heridas, se toman las enfermedades muy en serio y les cuesta mucho digerir los desengaños. Y toman todo esto como excusa para consolarse... ¿adivina con qué?

Una coraza

Pautas de comportamiento alimenticio y sus bloqueos

¿Y de qué le sirve toda esta base teórica? De mucho. Para cada día. Para sus hábitos alimenticios diarios. Pues de las características psíquicas surge una variada tipología que viene definida por el modo de alimentarse. Con sus respectivos y concretos bloqueos que le impiden cambiar los hábitos alimentarios (¿y a usted?). Éstos son los tipos más importantes. ¿Quizá se reconoce de nuevo en alguno de ellos?

Los que comen por puro placer

Suele tratarse de personas regordetas y simpáticas. El que come por placer disfruta de cada comida. Y es feliz con ello. A veces, durante una comida comenta cosas del estilo de «podría pasarme la vida comiendo esto». ¡Estupendo! Le felicitamos por ser capaz de disfrutar tanto. Sólo que...

▶ **El problema:** A pesar de lo mucho que disfruta, esta persona en realidad no se siente a gusto en su propia piel. Los michelines y las cartucheras hacen que le cueste subir escaleras. Y si sigue comiendo de ese modo es posible que tenga una vida feliz, pero no muy larga.

El placer solo no da la felicidad

▸ **El bloqueo:** «¿Yo tengo que adelgazar? ¿Precisamente yo? ¿Y luego vivir como un asceta y pasearme flaco por la vida? ¡Ni en broma!».

▸ **La solución:** Aquí solamente sirve de ayuda el ¡Imagínate delgada! Porque el placer y el disfrutar de la vida tampoco han de quedar de lado. La alegría vital también se encuentra en los cuerpos delgados (y especialmente en éstos).

Las personas que se incluyen en esta categoría deberían aprender a cambiar de orientación: por una vez deberían hacer la prueba de dirigir su abundancia de ideas positivas hacia algo que no fuese comestible. Algo así como lo bien que se sentiría en un cuerpo delgado. El modo en que volvería a descubrir el sexo...

Los que siempre están a dieta: se compadecen a sí mismos

Siempre a dieta

El siguiente tipo de persona obesa puede ser adorable, pero a veces no hay quien la soporte: la fanática de las dietas. Siempre en busca de la nueva dieta mortal por necesidad. Siempre está lamentándose de su figura (y no para de decir que: «¡pero si no como casi nada!»).

▸ **El problema:** Subjetivamente, su vida es un valle de lágrimas. Una constante lucha contra los kilos en la que jamás logrará vencer. La fanática de las dietas a veces pesa más y a veces menos, tiene el efecto yoyó garantizado.

▸ **El bloqueo:** «Haga lo que haga, no hay manera de que adelgace. Pero, naturalmente, seguiré luchando;

¿Los problemas mentales hacen engordar?

Muchos conflictos no solucionados o retroactivos pueden llegar a dañar seriamente la autoimagen y los hábitos alimenticios. En algunos casos, la persona afectada puede llegar a necesitar ayuda psicoterapéutica profesional para poder reconocer y modificar las pautas de comportamiento que le llevan a sus ataques de hambre compulsiva y a la obesidad. Los siguientes puntos pueden ser indicios de que sucede así:

▸ ¿Alguna vez ha engordado ostensiblemente después de un acontecimiento de gran importancia emocional o que le haya causado algún daño psíquico?

▸ ¿Ha observado si sus hábitos alimenticios han experimentado cambios a partir de un determinado momento?

▸ ¿Puede establecer alguna relación entre esta circunstancia psíquica y un aumento de peso?

Obesidad garantizada

soy luchadora por naturaleza, aún cuando nunca consiga ganar».

La solución: Las personas con este tipo de obesidad deben aprender a desprenderse de los pensamientos negativos de una vez por todas. Ha de romper definitivamente esa alternancia de terror a las dietas (estimula la secreción de cortisol, que engorda) y frustración por volver a engordar (estimula más cortisol y hace descender bajo mínimos las concentraciones de serotonina y dopamina, que son las hormonas que hacen adelgazar). De lo contrario, su vida no será más que una inútil lucha contra los kilos.

A la larga, las dietas resultan frustrantes

«A mí me es igual», pero no es cierto

A esta persona con demasiados kilos sobre sus costillas le gustaría que la cogiesen en brazos. Si todos fuesen tan sensibles y delicados como ella... pero no lo son. Por lo tanto, se ha procurado un escudo protector de grasa que la defiende de las agresiones mentales y por lo menos la separa del terrible mundo exterior.

El problema: Come sin parar. Y lo peor de todo: ni siquiera disfruta de los alimentos ni de las golosinas que consume, sino que traga por puro hábito y no hace más que engordar... y además es cualquier cosa menos feliz.

El bloqueo: Ella piensa: «Me es igual». Se pone nerviosa e irritable si alguien le sugiere que debería llevar una vida más sana y alimentarse mejor: «¡El aspecto que tenga es cosa mía!». Y sería cierto si se sintiese feliz con él. Pero éste nunca es el caso. Bajo la obesidad se esconde mucha tristeza, muchas frustraciones.

La solución: Estas personas necesitan mucha dedicación y comprensión. A veces incluso una psicoterapia (y no sólo por el peso). En algunos casos afortunados bas-

Puede hacer falta ayuda profesional

ta la aparición de un nuevo amor para que el mundo cambie por completo...

Dulces contra conflictos

El siguiente tipo de persona obesa considera que estar gorda es una señal de intelectualidad. Y, naturalmente, se incluye en esta categoría de mártires de la mente. Para nosotros no es más que alguien que come por estrés.

▶ **El problema:** La persona que come por estrés siempre está activa. Siempre está ocupada, no sólo en su vida profesional, sino también en la privada, pero por desgracia no soporta grandes esfuerzos. Por eso necesita comida (principalmente dulces) para la cabeza, contra el estrés, y para otras cosas. Cada vez que surge un conflicto, lo primero que hace es atacar al chocolate, su consuelo para el espíritu, que proporciona momentáneamente un aumento de glucosa al cerebro y lo estimula. Por desgracia solamente durante veinte minutos. Luego sus células grises necesitan otra dosis y vuelve a por la tableta de chocolate...

▶ **El bloqueo:** «¿Y cómo puedo comer menos con este estrés? ¡Nadie puede ni siquiera imaginarse todo lo que tengo en la cabeza! ¡Lo que menos necesito es que me den buenos consejos!».

▶ **La solución:** Lo primero que tiene que hacer es bajar de su torre. Lo

más importante para estas personas es realizar ejercicios de relajación, pero también visualizaciones positivas y afirmaciones.

En caso de estrés, comer es sólo una relajación pasajera

¡La vida ya es bastante dura!

Esta persona obesa se queja de sí misma, de los demás, de la vida en general: come por pura frustración. Pero esta obesa no es una comilona permanente como la del tipo «A mí me es igual». Al contrario: muchas veces son personas que se toman muy en serio el tema de la comida.

Y todos los demás aspectos de la vida. Se preocupan por todo (muchas veces de un modo ligeramente depresivo) y suelen ver dificultades por todas partes. Se preparan una dieta sana, equilibrada y bien calculada... hasta que vuelvan a tener algún problema: con el jefe, con la pareja. Y entonces otra vez en busca de una satisfacción oral. ¡Venga una hamburguesa bien regada con una cerveza...!

Buenos propósitos

▶ **El problema:** En un mundo tan complejo como éste, estas personas nunca logran adelgazar de modo permanente. Siempre surge algo que se lo impide. Y su cuerpo sufre otro brutal bombardeo de calorías.

▶ **El bloqueo:** «¡Déjame en paz! ¿Tienes idea de lo mal que me va en estos momentos? ¿Sabes los problemas que tengo? ¿Es que alguien va a creer que en estos tiempos tan difíciles estoy yo para seguir dietas?».

▶ **La solución:** Aquí hace falta una clarificación racional. Los problemas y las preocupaciones nunca se solucionan a base de embutidos, chocolate, pasteles o patatas fritas. Hay que trabajar la meditación biográfica: ¿De dónde viene el comer en exceso? Como estrategia opuesta, hacer que las cosas vayan mejor en otros ámbitos, empleando visualizaciones positivas si hace falta. Y quizá con unas cortas vacaciones que le proporcionen la calma y la felicidad que necesita.

Busque una alternativa

Papeles amarillos para un claro «stop»

Hay momentos en los que no siempre le será fácil resistir las tentaciones de su cabezonería; esas partes de su cerebro en las que todavía quedan restos de su antigua obesidad. Y éstas son las que la tientan con: «Hoy te has esforzado mucho en tu trabajo; disfruta tranquilamente de un par de bombones». O algo parecido. ¡Acabe de una vez con todo esto! Y hágalo así:

▶ Consiga una buena cantidad de hojitas amarillas autoadhesivas (Post-It's). Escriba en ellas las palabras «¡Stop - control de pensamiento! ¡Los alimentos que engordan, ni tocarlos!». Puede parecer un método demasiado estricto y militar, ¡pero funciona!

▶ Pegue esas hojitas en todos los lugares en los que pueda haber alimentos que pongan a prueba su decisión de adelgazar. Se dará cuenta de que realmente es posible controlar las ansias de comer. Y en algún momento desaparecerán del todo.

TEST
¿A qué grupo de personas pertenece usted?

El siguiente cuestionario le permitirá averiguar cuál es el grupo al que usted pertenece. ¡Analícese a sí misma y a sus malos hábitos alimenticios! Las preguntas hay que contestarlas simplemente con un «Sí» o con un «No»; si es sí, anótese la letra que corresponde a la pregunta. En la página siguiente encontrará la evaluación de los resultados así como algunos consejos que le ayudarán a combatir específicamente sus acumulaciones de grasa.

1. ¿Suele dar más importancia a una comida equilibrada y rica en vitaminas que a una muy copiosa? **(A)**

2. Cuando come, ¿suele estar ocupado en otras cosas al mismo tiempo, como por ejemplo escribir en el ordenador, leer, telefonear, etc.? **(C)**

3. En una conversación surge el tema de la comida. ¿Está usted al corriente de todas las dietas posibles, incluyendo las más modernas? **(E)**

4. Esta noche está solo, pero hay algo que no le deja estar tranquilo. ¿Va varias veces a la cocina en busca de algo para picar? **(B)**

5. Al acabar una jornada laboral agotadora pasa por delante de una pastelería. Usted no tiene nada de hambre, pero huele tan bien... ¿Se compraría una pasta? **(B)**

6. Pastas, chocolates, frutos secos: ¿Existen alimentos que hagan que su vida cotidiana le parezca más soportable? **(D)**

7. ¿Come usted mucho pero lentamente –a veces tan despacio que cuando los demás ya están en los postres usted aún va por el primer plato–? **(A)**

8. Al mediodía un bistec con patatas asadas y para cenar, tortellini –¿o fue al revés?– ¿Ya no recuerda lo que comió ayer? **(C)**

9. ¿Alguna vez ha sentido un irrefrenable impulso de comer frutos secos o similares cuando se enfrenta a situaciones especialmente difíciles? **(D)**

10. ¿Está convencida de que tiene una predisposición normal a engordar/ser gorda: ¿Engorda a pesar de que no come casi nada? **(E)**

11. El jefe está de muy mal humor, su pareja no hace más que quejarse: ¿Lo primero que hace es comerse una chocolatina? **(B)**

12. Hoy tocan tortillas mexicanas, mañana una sopa rusa: ¿Le gusta mucho probar platos de otros países? **(A)**

13. ¿Hace poco que ha vuelto a engordar, a pesar de que (como otras tantas veces) había conseguido perder peso? **(E)**

14. A mediodía, espaguetis, y para cenar un par de sandwiches –y entre horas algunas cosas para picar: ¿Le gusta picar entre las comidas?–. **(C)**

15. ¿El comer le ayuda a huir de aquellos pensamientos (de futuro) que la asustan? **(D)**

16. El bistec parece una suela de zapato, la ensalada es como si fuese de anteayer: ¿Prefiere dejarlo todo en el plato? **(A)**

17. Durante una comida, usted participa en una conversación. ¿Es la primera en acabar lo que tiene en el plato? **(B)**

18. ¿Después de una comida copiosa se encuentra mucho mejor –a pesar de que en el fondo está triste–? (D)

19. ¿Come «de vez en cuando» en locales de tapas o de comida rápida? **(C)**

20. ¿Lee mucho acerca del tema «adelgazar» pero los consejos no le hacen ningún efecto? (E)

Puntuación:
En cada pregunta contestada con un sí apúntese la letra correspondiente.
1=A, 2=C, 3=E, 4=B, 5=B, 6=D, 7=A, 8=C, 9=D, 10=E, 11=B, 12=A, 13=E, 14=C, 15=D, 16=A, 17=B, 18=D, 19=C, 20=E.

Resultados:
Mayoría de A: Usted es de esas personas que disfrutan de la comida. **Sugerencia:** Comprenda que los placeres y la alegría por la vida también tienen cabida en un cuerpo delgado. Concretando: Búsquese *hobbys* que le hagan ilusión... ¡y que le hagan fundir esas grasas!

Mayoría de B: Típica persona que come por estrés. Suele consolarse y relajarse comiendo dulces. **Sugerencia:** Procure no llegar a estos extremos. Haga un pequeño descanso de cinco minutos cada dos horas. Haga un corto viaje imaginario.

Mayoría de C: Usted es de esas personas a las que «les da igual» comer en exceso. **Sugerencia:** Haga un examen de conciencia honesto: ¿Qué es lo que le falta en la vida? ¿Comprensión? ¿Amor? ¿Reconocimiento? Entonces, ataque por ahí: apúntese a un club de bolos, ponga un anuncio en la sección de contactos...

Mayoría de D: Es la clásica persona que come para vencer sus frustraciones. **Sugerencia:** Emplee una estrategia doble. Analice el origen de su problema con la comida. Y esfuércese simplemente en hacer aquello que mejor le siente. Un viaje de última hora a París que sale muy bien de precio: ¿Por qué no?

Mayoría de E: Es una fanática de las dietas. **Sugerencia:** Durante una semana, vaya anotando todo lo que come. ¿De verdad no ha comido casi nada? Pero intente combatir sus michelines con algo más agradable. Las dietas drásticas y aterrorizantes son contraproductivas.

Varias letras con la misma frecuencia: Tipo mixto. A usted se le pueden aplicar todas las sugerencias de los respectivos grupos. Pero intente ser franca consigo misma: ¿Cuáles son las sugerencias que mejor se le adaptan a usted y a sus actuales circunstancias?

Programa de adelgazamiento en 10 pasos

Si usted ya ha programado su cabeza y su mente para «menos kilos», esto sucederá por sí solo: ahora le hará más ilusión hacer ejercicio y practicar algún deporte, también le apetecerán más las comidas ligeras. Este programa en diez pasos se aprovecha precisamente de esas señales de que al organismo le hace ilusión volver a estar sano y delgado. Aprenderá a eliminar o modificar esos hábitos alimenticios tan nefastos. Encontrará multitud de sugerencias respecto a su alimentación. Además, los ejercicios prácticos le servirán para determinar cuál es la práctica deportiva que mejor se adapta a sus circunstancias.

Adelgazar, paso a paso

Los dos capítulos anteriores le han enseñado sencillas pero eficaces técnicas mentales que le permitirán programar su psique para eliminar grasas. Pero los ejercicios mentales también sirven para modificar el metabolismo e influyen en la producción hormonal, lo que contribuye a que se fundan las grasas superfluas de su barriga y de sus caderas.

Más ilusión por lo sano

Al mismo tiempo notará que en su interior se va produciendo un pequeño milagro. Mediante la fuerza del pensamiento (y de las emociones que éste moviliza), su mente se irá programando progresivamente para adelgazar. Usted, sin estar sometida a presiones externas, empezará a modificar su alimentación. Es probable que ya supiese perfectamente que los dulces y los alimentos ricos en grasas no sólo son malos para la salud sino que además engordan. Pero ahora no le apetecen nada. Éste es uno de los efectos de las hormonas adelgazantes que en estos momentos están fluyendo por su cerebro y por todo el resto del cuerpo.

¿Rico en calorías? ¡No, gracias!

Más ilusión por el ejercicio

Al cabo de unas tres semanas de ejercicios mentales, lo mismo le sucederá con la necesidad de hacer ejercicio físico. Se sorprenderá y se alegrará al comprobar que sus ganas de hacer deporte aumentan de un modo espectacular. Las responsables de ello son las hormonas de la felicidad y del adelgazamiento, que no solamente le hacen perder grasas, sino que además influyen positivamente en su mente y hacen que le apetezca sentir una sensación de libertad y ligereza.

Hay que poner movimiento a la vida

El programa en 10 pasos

Éstos son exactamente los efectos que usted puede y debe aprovechar a partir de ahora. Para esto sirve este programa en 10 pasos. La ayudará a seguir adelgazando a base de potenciar un cambio de hábitos alimenticios y de orientar sus nue-

En el tiempo
·ibre también
es divertido
practicar
·gos como el
«Frisbee»

vas ansias de ejercicio hacia prácticas adelgazantes.

Y funciona de este modo: El programa está dividido en 10 etapas. Al principio de cada etapa de 5 días define usted la meta que desea alcanzar en ese tiempo. Entonces ejercita durante cinco días cada uno de los puntos de que consta el programa. Para que su programa de adelgazamiento sea lo suficientemente variado, avance cada vez un paso de las categorías «nutrición» y «movimiento». Sin embargo, entre ambas existe una notable diferencia: cuando usted progrese al siguiente paso de nutrición estará aprovechando sus experiencias de los pasos anteriores del programa. Y así, conservará el comportamiento alimenticio durante varias semanas o asimilará el correspondiente principio (por ejemplo, lista de alimentos positivos y negativos).

Ganas de más

Pero en las prácticas deportivas sucede de otro modo: los diversos tipos de movimientos sólo sirven de aperitivo, despiertan las ganas de hacer más. Al finalizar el programa podrá elegir qué deportes desea practicar y cuáles no. Naturalmente, también puede optar por alternar dos o tres y crear así su propio programa para adelgazar y para alcanzar el bienestar.

Alimentación: la clave del camino

En los pasos referentes a la alimentación no queremos imitar a los innumerables libros de dietas que hay en el mercado. Por tanto, tampoco le vamos a dar recetas de cocina ni le aconsejaremos alimentos dietéticos mortales de necesidad. En vez de eso, de lo que se trata es de practicar e intensificar determinadas pautas de conducta. Por ello, cada uno de los pasos se describe con exactitud y –como ya dijimos anteriormente– la meta se fija de antemano. Se trata de pasos que deben darse como complemento de los ejercicios mentales.

Sólo como complemento

Es posible que esto pueda parecer algo así como «adelgazar a jornada completa», pero no lo es: si las técnicas mentales que ha elegido las practica por la noche, no le supondrá mayor esfuerzo físico o de tiempo aplicar los mismos principios a la hora de comer o cuando va de compras.

Naturalmente, los ejercicios físicos sí que necesitan un poco más de esfuerzo. Pero muy pronto se dará cuenta de que eso no le supone ninguna carga, sino un enriquecimiento. Encaja perfectamente como algo que le produce satisfacciones y que le proporciona una nueva sensación de libertad.

El deporte adelgaza ¡naturalmente!

El ejercicio físico no sólo consume calorías, sino que hace llegar mucho más oxígeno a cada una de las células del cuerpo. Esto estimula el metabolismo. Y la actividad física estimula la producción de enzimas que degradan las grasas y generan tejido muscular.

Cuando se practican durante más minutos deportes de resistencia tales como correr o la marcha atlética, más del 50% de la energía que consume el organismo procede de las reservas de grasa. ¡Y esto no tarda en manifestarse en la báscula!

Estrictamente prohibido: el ejercicio como tortura

Lo decisivo es que le haga ilusión

En el programa para adelgazar existe una regla que debe ser cumplida a rajatabla: cualquier actividad deportiva que no le proporcione alegrías, automáticamente pasará a estar «prohibida». Después de todo, no querrá volver a estropear los efectos positivos de las técnicas mentales y la actividad hormonal inducida por éstos. Por tanto, es necesario que todas sus actividades deportivas le resulten divertidas y le apetezca practicarlas. Es muy recomendable que las personas obesas consulten a su médico antes de iniciar este programa deportivo.

Para todas las ocasiones: ¡ejercicios aeróbicos!

Hay algo que es muy importante para adelgazar: todos los ejercicios deberán realizarse en el ámbito aeróbico. Esto significa que el organismo siempre deberá disponer de suficiente oxígeno para ganar energía a partir de quemar grasas y carbohidratos. Y esto solamente será posible si usted no corre por el parque jadeando y con el rostro rojo y congestionado, sino que efectúa los suficientes descansos como para poder conversar normalmente con sus compañeros de fatigas.

Correr sin tensiones

¡Así lo hará bien!

Existen algunas reglas básicas que deben aplicarse a todas las etapas deportivas:

- Al principio basta con quince minutos. ¡Si usted está en baja forma y se excede, no tendrá ganas de seguir! Si su sobrepeso es superior a los 10 kg es preferible que al principio entrene la mitad de tiempo. Si se producen síntomas de agotamiento, tales como insuficiencia respiratoria o sofoco, hay que suspender los ejercicios de inmediato.
- Al cabo de tres semanas puede ampliar la fase de ejercicio a 20 minutos, y después de tres semanas más puede subir a 30 minutos.
- Independientemente del deporte que practique, cambie el ritmo con frecuencia. Esto hace que las grasas se quemen con más rapidez que si se mantiene un ritmo monótono.
- Si se propone unas metas demasiado elevadas, quizá logre aguantar una o dos semanas. Luego ya no tendrá ganas de seguir esforzándose para intentar alcanzarlas.
- Lo ideal no es entrenar cada día, sino hacerlo con regularidad: a ser posible tres veces a la semana.
- Elija la hora que mejor le vaya para efectuar los ejercicios físicos, y luego procure mantener ese horario. (El mejor momento suele ser alrededor de las 17 horas. Es cuando mejor funcionan el corazón y la circulación). Pero también ha de ser una hora en la que no le cueste integrar el deporte en su vida cotidiana. Si al salir del trabajo se va directamente a casa y se sienta en un sillón, lo más probable es que le entren ganas de descabezar un sueñecito y se quede ahí sentada. ¿Qué se apuesta?

Es más divertido correr en pareja

Sin apetito gracias al deporte

Al practicar un deporte se segrega serotonina y endorfinas, y estas hormonas actúan como inhibidoras del apetito. Por eso no se tiene hambre inmediatamente después de hacer ejercicio. De todos modos, coma una rebanada de pan integral. Así al cabo de un par de horas no tendrá una sensación de hambre acuciante.

¡Bueno! Ya ha llegado el momento de dar el primer paso concreto en su programa personal para adelgazar.

Paso 1: Saltar a la cuerda

Cuando el campeón de boxeo Wladimir Klitschko se entrena, siempre incluye en sus ejercicios una sesión de «ropeskiping». Esta moderna variante solamente se diferencia del antiguo ejercicio de «saltar a la cuerda» por el empleo de materiales modernos, la realización de algunos saltos acrobáticos... y un nombre más «de moda».

Saltar a la cuerda tal y como hacía cuando iba al colegio le calentará los músculos en un máximo de diez minutos, le elevará el pulso suave pero eficazmente y es un medio fantásticamente eficaz para destruir las células grasas. Pero el moderno ejercicio de fitness no sólo es un magnífico ejercicio de resistencia, sino que le ayuda a hacer que el estrés salte de su mente. Al igual que al correr, aquí también se segregan endorfinas, serotonina y dopamina, y se elimina el cortisol, que es perjudicial y hace engordar.

Se hace así:

Colóquese con ambos pies a la altura del centro de la cuerda. Las empuñaduras deberán poder llegar hasta bajo las axilas (si la cuerda es

Saltar la cuerda hace quemar grasa

demasiado larga puede acortarla haciendo nudos junto a las empuñaduras, y eso no influye en su capacidad de movimiento).

- Al saltar, mantenga los brazos junto al cuerpo. El ángulo de los antebrazos será de 120 a 140°. El movimiento giratorio se realiza con las muñecas, y el brazo solamente participa al lanzar la cuerda hacia delante.
- Salte verticalmente, y a la suficiente altura como para que la cuerda pueda pasar bajo sus pies.
- Mantenga las piernas estiradas al saltar y amortigüe suave y ligeramente con las rodillas.
- Salte hacia arriba con los pies cerrados y encadenando un salto con el siguiente.
- Caiga sobre las puntas de los pies y hágalos rotar hasta apoyarse sobre los talones.
- Variante: Salte solamente sobre el pie derecho y luego cambie al izquierdo. Al saltar a la cuerda no tardará en encontrar su propio ritmo; probablemente será de unos 60 saltos por minuto.

Paso 2: Domesticar rítmicamente el hambre

Encontrar el ritmo

Este segundo paso de nuestro programa consiste en ejercitar un ritmo lógico en las comidas y así evitar que surjan los ataques de hambre acuciante y las ganas de picar chucherías.

SUGERENCIA

No coma nunca entre horas. Concéntrese en lo que come; en lo que siente en la boca, en el sabor de los alimentos y en las sensaciones que éstos despiertan en su paladar.

Primero relajarse y luego comer

Se trata de esto:

Empiece por acostumbrarse a no empezar a comer en cuanto tenga un poco de apetito. De lo contrario no sabrá escuchar las señales de su organismo y empezará a comer (generalmente en exceso) de un modo completamente reflejo. Por tanto, empiece por realizar un pequeño ejercicio de relajación y concédase un viaje imaginario a algún lugar en el que se sienta feliz, libre y ligera. Luego haga un breve examen de conciencia: ¿Realmente es necesario que ahora coma algo?

- Coma solamente cuando ya haga un rato que tiene apetito. Entonces ya podrá saborear una buena comida y paladear cada bocado.
- El actor alemán Jürgen Schilling ha desarrollado un hábil método para comer menos que es una combinación entre paladear y masticar. Consiste en masticar cuidadosamente cada bocado –por lo menos 30 veces–. Perciba lentamente todas las propiedades organolépticas del alimento y se dará cuenta de que se

Habilidad a la hora de hacer la compra

No basta con saber comer, también hay que saber hacer la compra, y con precauciones: media hora antes de ir al supermercado, cómase un pequeño «snack» con grano integral. Si va a comprar con hambre, instintivamente comprará alimentos más grasos y que engordan más. Y todo eso luego se lo comerá. Después de todo no hay que tirar nada, ¿no?

sentirá saciada habiendo comido mucho menos.

Capte las señales de saciedad

- Coma sin remordimientos y sin sentimientos de culpabilidad. Debe comer todo lo que realmente necesite –y con el tiempo aprenderá a controlarse–.

Comer sin estrés

¿Comer con estrés? ¡No, gracias! Si está sometida a presiones no ceda a sus impulsos de consolarse con una sobredosis de calorías. En vez de eso, empiece por tomarse un tiempo y realice un relajamiento de cinco minutos:

- En el despacho: Una breve visualización puede ser suficiente para hacerla salir rápidamente del estrés.
- Alternativa: Un paseo de cinco minutos al aire libre contando y estructurando sus respiraciones (profundas y conscientes); puede hacerlo así: inspire y espire cada vez en tres «etapas». Esta hiperventilación aportará más oxígeno a la circulación y al cerebro, porque la tercera espiración (sobre todo si se efectúa con los labios en posición de silbar) también expulsa el aire residual que habitualmente queda retenido en los bronquios. Al cabo de unos pocos minutos se sentirá más fresca y el hambre se habrá reducido automáticamente.

Por favor, ¡no se exceda!

Modérese a la hora de comer (o cuando la inviten a cenar):

- Deje que le llenen el plato, pero con moderación. Así podrá comer todo lo que le hayan servido y felicitar a su anfitriona diciendo: «Eres una estupenda cocinera, estaba buenísimo».
- Observe el límite mágico de los 20 minutos, aunque coma con otra gente: durante la comida, explique que su cerebro recibe la señal de saciedad con 20 minutos de retraso respecto a lo normal. Por tanto, coma tan lentamente como pueda, ¡aunque los demás ya haga rato que han acabado!

Siempre hay que comer despacio

Un concepto desfasado: «la hora de comer»

No coma nunca por el mero hecho de que al mirar el reloj vea que es la hora de comer.

- Espere hasta que realmente tenga hambre.
- Sin dolor: no retrase nunca la comida hasta el punto de sentir debilidad o notar incluso dolor de estómago. En esos momentos, sus mecanismos psíquicos de control ya estarían parcialmente fuera de combate. Y usted ingeriría una gran cantidad de comida en poco tiempo.

iba el apetito
scientemente

Alternativas a la barrita de chocolate

Si usted anteriormente (antes de iniciar este programa) consumía demasiado azúcar, es probable que al principio sienta una verdadera necesidad de ingerir azúcar. El motivo: el páncreas, que es la glándula que produce la insulina (la hormona que compensa el azúcar) todavía está programado para grandes raciones de azúcar y segrega la hormona en grandes cantidades. Pero usted puede reeducar a su páncreas: un plátano o algo de fruta seca rica en fructosa (pasas) satisfará su necesidad de azúcar sin alimentar a sus células grasas del mismo modo que si ingiriese azúcar de cocina (glucosa).

Y aún mejores son los carbohidratos de cadenas largas tales como los que se encuentran en los panecillos integrales con queso fresco dietético. También llenan las reservas de azúcar, pero de un modo más lento y suave. Pronto se acostumbrará a ello.

Plátano: un sano sustituto de los dulces

Paso 3: «Walking» olímpico

En cada parque público, en cada urbanización y en cada bosque nos topamos con personas que caminan efectuando unos curiosos movimientos de remo. ¿Qué es lo que hacen? Muy sencillo, practican el «walking». Y esto que nos parece

Una variante de la marcha atlética: el «walking»

tan curioso es probablemente el mejor método para que las personas poco ejercitadas en el deporte puedan satisfacer sus ansias de hacer ejercicio a la vez que queman grasas. Y una ventaja del «walking» (caminar) sobre el «jogging» (correr) es que se efectúan unos movimientos mucho más suaves y, por tanto, se somete a un menor esfuerzo a las articulaciones del aparato locomotor, y muy especialmente a las rodillas y los tobillos.

Walking para principiantes

Desde el primer momento se dará cuenta de que el walking es muy divertido. Pero, como principiante, es necesario que empiece por conocer las reglas principales del walking antes de pasar al walking olímpico, que es algo así como la categoría Fórmula 1 en este deporte. Básicamente se trata de esto:

- **Posición correcta del cuerpo:** Colóquese erguida, sin doblar el tronco. Las puntas de los pies deberán apuntar hacia delante y las rodillas estarán ligeramente flexionadas.
- **Cabeza alzada:** Imagine que hay una banda de goma que tira (suavemente) de su cabeza hacia arriba.

Camine recta

- **Vista al frente:** Dirija la mirada al frente y así siempre verá lo que sucede ante usted. Además, es la posición en la que sus pulmones mejor se llenarán de oxígeno.
- **Cuerpo relajado:** Deje que los hombros caigan distendidamente. La auténtica sensación del «walking» la sentirá cuando le parezca que la arrastran con una cuerda elástica sujeta al esternón.
- **Prohibido arrastrar los pies:** Camine con normalidad, pero fijándose en lo que hace. A cada paso, levante el pie correspondiente.

Apóyelos correctamente: Los pies siempre se apoyan empezando por el talón. Luego se efectúa un completo movimiento de rotación sobre el borde exterior de la planta hasta llegar al pulgar. Durante el walking, los dedos de los pies siempre deberán estar dirigidos hacia delante, nunca hacia fuera ni hacia dentro (como suele pasar instintivamente al correr). Al finalizar el movimiento de rotación, despéguese del suelo con fuerza.

Flexionar las rodillas: Al levantar la pierna del suelo, la rodilla estará mínimamente flexionada. Esto hará que el paso sea muy elástico y forzará muy poco sus rodillas.

Rotación correcta: Al finalizar el movimiento de rotación de un pie, la otra pierna se desplaza hacia delante y realiza el mismo movimiento. Al principio, exagere un poco los movimientos y camine con las rodillas más flexionadas de la cuenta hasta «cogerle el truco» a esta forma de andar.

Los brazos también trabajan: Los brazos son muy importantes para el walking. Sus movimientos rítmicos la ayudarán a avanzar a la vez que consumen energía. En el walking, los brazos oscilan paralelos al cuerpo siguiendo un ritmo regular. Y lo hacen al compás de los pasos, pero alternado, es decir, paralelos a la pierna del lado opuesto. Cuando la pierna izquierda se desplaza hacia delante, el brazo derecho oscila hacia delante, y viceversa.

Oscilar con ritmo

Puños relajados: Durante el walking hay que mantener los puños cerrados, pero sin apretarlos.

Practique el walking tres veces a la semana (si se decide por este ejercicio). Empiece con sesiones de 15 minutos. Al cabo de dos semanas podrá aumentar a 20 minutos.

El walking es el deporte más inocuo para el aparato circulatorio y para las articulaciones. Las personas obesas –si se sienten a gusto con ello– también pueden empezar con 10 minutos y aumentar a 20 al cabo de dos o tres semanas. Si está suficientemente en forma podrá seguir aumentando posteriormente a 30 y a 50 minutos. En cuanto lo haga sin problemas podrá pasar a la categoría reina del walking, a la que más grasas quema, al «walking olímpico».

Bueno para el corazón, la circulación y las articulaciones

Andares olímpicos a ritmo de swing

Ahora se cambian algunas de las reglas básicas del walking. Esto hace que el ejercicio sea más cansado; pero las células grasas también desaparecerán a mayor velocidad.

Oscilaciones para los brazos: Ahora no hay que hacer oscilar los brazos paralelamente al cuerpo al ritmo del paso, sino que se cruzan alternativamente. Lance el brazo que esté en movimiento de modo que cruce en diagonal ante el tronco y la mano se pose sobre el hombro opuesto.

- **90 grados:** Mientras se efectúa este movimiento, el brazo y el antebrazo forman un ángulo de 90º.
- **Moviendo las caderas como Elvis:** Podrá ir aumentando el ritmo progresivamente. Para conseguirlo, al desplazar una pierna hacia delante «arrastre» la cadera correspondiente. De este modo, las piernas y las caderas oscilarán automáticamente haciendo que usted se mueva al estilo de Elvis Presley. La parte inferior del cuerpo describe entonces un movimiento casi elíptico.

Estos movimientos de brazos y caderas constituyen las principales características distintivas del walking «olímpico». Es posible que los movimientos le parezcan un poco extraños, pero no sólo consumen más calorías, sino que también ejercitan mucho más los músculos de la espalda, abdominales y los glúteos. Luego se sentirá más ligera.

Paso 4: Cambio a un «comer mejor»

Algo hay de cierto

A pesar de que existen docenas de dietas distintas, y aunque usted no sea ninguna «fanática de las dietas», existen algunas reglas ele-

Los aceites vegetales son sanos, pero ricos en calorías

mentales que no podemos pasar por alto.

Cuidado: ¡grasas fuera!

A pesar de que hoy en día hay quienes propagan que la grasa no engorda, esto evidentemente no es más que una tontería: a pesar de que los ácidos grasos insaturados «sanos» (como los del aceite de oliva) son naturalmente mucho mejores que los ácidos grasos saturados que se encuentran en la mantequilla y en la manteca, todas las grasas son verdaderas bombas de calorías.

Veamos algunas recomendaciones para el consumo de grasas. De aproximadamente un 30 por ciento de las calorías que se consumen diariamente debe haber

- menos de un 10% de ácidos grasos saturados, como la mantequilla;
- un máximo del 10% de ácidos grasos poliinsaturados (como los del aceite de girasol o de cardo);
- por lo menos un 10% de las grasas que se ingieren deberán ser ácidos grasos monoinsaturados; exponente típico: el aceite de oliva.

Sustitutivos sin inconvenientes: la comida sin grasas también puede ser sabrosa

Sustitutivos muy sabrosos

Veamos algunos casos en los que los alimentos con un elevado porcentaje de grasas (de origen animal) pueden ser sustituidos por otros con menos grasa sin que ello perjudique su sabor.

- La clara de los huevos de gallina contiene menos de un 20% de calorías en forma de grasas. Pero la yema es pura grasa y aporta muchas calorías. Si separa la clara de la yema se ahorrará un gran aporte energético.
- Entre los productos lácteos bajos en grasas se encuentra el queso fresco desnatado, la leche desnatada y el queso bajo en grasas. Si le apetece algo más «fuerte» puede comer queso bajo en grasas.

Magro y rico en proteínas

- Los embutidos de ave, el jamón magro cocido y la carne de pavo y de pollo también contienen pocas grasas –siempre y cuando no incluyamos su crujiente y sabrosa piel–. Sin embargo, la longaniza y las salchichas son muy ricos en grasas, y lo mismo sucede con el pato y el ganso.

SUGERENCIA

Si de vez en cuando le apetece muchísimo un alimento muy rico en grasas, aténgase a la regla de los tercios: combine siempre una ración de alimento rico en grasas con dos raciones de alimentos pobres en grasas, como por ejemplo salmón (rico en grasas) con arroz integral o espinacas (ambos pobres en grasas) y sorbete de postre.

SUGERENCIA

Unas experiencias realizadas en Estados Unidos han demostrado que las personas que comen a la luz de las velas comen la mitad que las que lo hacen bajo un fluorescente. Analizando el comportamiento de un grupo de estudiantes también descubrieron que se come más si durante la comida se conversa o incluso si se discute acaloradamente.

- Los filetes (pero sólo estos) de vaca y de ternera son excelentes, al igual que la caza. Sin embargo, el cerdo, el cordero y el vacuno (a excepción del filete) son verdaderas bombas de calorías. Y lo mismo sucede con la carne picada, los ahumados y las vísceras.
- Para conservar la línea es ideal comer pescados tales como merluza, rape o lenguado. Las ostras, gambas y demás mariscos contienen relativamente pocas grasas y muchas proteínas. Es preferible evitar los pescados grasos tales como carpa, anguila.
- Y tampoco hay que olvidarse de los postres. Porque ahí es donde puede echarse a perder todo el efecto adelgazante del resto del menú. Los que contienen menos grasas son los zumos de frutas, los sorbetes, las macedonias de frutas y los postres de yogur («light») con gelatina. Conviene evitar los helados, pasteles y cremas con nata.

Hay que ser consciente también con la comida

Coma con la cabeza

Para «comer mejor» también es necesario ser más consciente de la forma en que se ingieren los alimentos. Muchas personas comen algo entre horas. Pero esto es algo que engorda, porque inconscientemente consumen mucho más de lo que necesitan.

Sin embargo, existen algunas estrategias para combatirlo:

- Comidas festivas: Convierta cada comida en un pequeño festival para los sentidos. Encienda algunas velas, ponga buena música y paladee cada bocado con verdadero deleite.
- En frío: No coma nunca estando de mal humor o si acaba de discutir con alguien. En esos casos es seguro que el enfado le hará comer mucho más de lo necesario.

Paso 5: Aquastepping

Un buen ejercicio para la circulación

El «aquastepping» es una divertida variante acuática del walking que no consiste en otra cosa que en dar pasos enérgicos, rápidos y más o menos largos bajo el agua. Al contrario que otros ejercicios acuáticos más complejos y que requieren aparatos específicos, para la práctica del aquastepping no necesitará nada más que el traje de baño.

Este deporte se basa en realizar determinados pasos y ejercicios contra la fuerza del agua. Esto significa que, por una parte, sus músculos, su aparato locomotor y su tejido conjuntivo tendrán que vencer una mayor resistencia. Y por otra, que el agua le hará a su vez de soporte, con lo cual disminuye notablemente el riesgo de sufrir lesiones en las articulaciones y en las cápsulas sinoviales. Además, dado que la resistencia del agua obliga a que los movimientos sean más lentos, el aquastepping automáticamente contribuye a eliminar el estrés y proporciona una sensación de relajamiento y bienestar.

Un ambiente refrescante. Así se expulsan las células grasas

La temperatura del agua ya hace su propio efecto

Desde muchos puntos de vista, el aquastepping es un ejercicio ideal para eliminar grasas debido a que:

- Los movimientos contra la resistencia del agua no sólo fortalecen la musculatura, sino que los músculos también consumen más energía para efectuar su trabajo.
- El frescor del agua (en las piscinas de agua caliente ésta está siempre a una temperatura inferior a los 37 °C del cuerpo humano) hace que el organismo también tenga que recurrir a la energía de las células grasas para mantener constante la temperatura del organismo. Por

Los ejercicios acuáticos son divertidos y consumen energía

tanto, usted perderá peso de un modo muy efectivo. Y así es cómo se empieza:

Métase en la piscina y busque un rincón tranquilo. Cuanto más profundo sea, más esfuerzos tendrá que hacer. Por tanto, al principio es mejor que elija un lugar en el que el agua le llegue aproximadamente a unos diez centímetros por encima del ombligo. Este deporte es especialmente beneficioso para la circulación y para las articulaciones. Si les apetece, tanto las personas obesas como las que tienen un peso normal pueden empezar directamente con sesiones de 30 minutos. Y así es cómo se practica bien el aquastepping:

- El agua le llega hasta la parte inferior de los omoplatos. Cuando se pone de pie asoma la cabeza, el cuello y la mitad del torso fuera del agua.
- Avance con el torso adelantado –paso a paso–: Ahora incline el torso hacia la superficie del agua. Camine paso a paso con un movimiento similar al descrito en el walking (ver técnicas básicas en la página 103).

Como en el walking

- Los brazos están a los lados del tronco y oscilan alternativamente hacia delante y hacia atrás en paralelo a la pierna del lado opuesto.
- Levante el pie correspondiente al dar cada paso. El pie se apoya bajo el agua empezando por el talón. Efectúe una rotación apoyando la planta sobre el fondo de la piscina y hasta llegar al dedo pulgar. Durante el aquastepping, los dedos de los pies también han de estar orientados siempre hacia delante.
- Al efectuar la rotación y al separar el pie del suelo, las rodillas deberán estar ligeramente flexionadas. Como cuando se practica el walking en seco.
- Muévase de modo uniforme contra la resistencia del agua. No deje que su torso se incline hacia atrás, sino que deberá colocarlo (al igual que sus piernas) hacia delante.
- Mantenga los brazos en un ángulo de 90º y muévalos con fuerza hacia delante y hacia atrás.
- Los puños deberán estar relajados y sin agarrotarse; ¡no intente remar con las manos!

La práctica lo es todo

Si al cabo de cierto tiempo ya ha adquirido suficiente práctica, puede variar los ejercicios con distintos movimientos.

- Paso cruzado: Ponga alternativamente el pie izquierdo ante la pierna derecha y al siguiente paso ponga el pie derecho ante la pierna izquierda. Es decir, vaya cruzando las piernas.
- Salto de a tres: Dé dos pasos con la misma pierna y cambie de pie al dar el tercero.

En el aquastepping también es muy importante finalizar relajada-

Los productos de grano integral son ricos en fibra y sacian durante mucho rato

mente. Nade tranquilamente un par de piscinas o acabe la sesión con una agradable sauna.

Paso 6: Cambio de menú

Anótelo todo

El sexto paso del programa para adelgazar consiste en comer no sólo de un modo más racional, sino también diferente del actual. Y a partir de este momento, para esto le será muy útil anotar en una agenda todo lo que come. A lo mejor le parece un poco exagerado, pero pronto se dará cuenta de que es de una gran ayuda.

¡No se engañe!

Durante por lo menos dos semanas, anote cada día exactamente todo lo que ha comido y vaya valorando su alimentación según los criterios positivos y negativos que exponemos más adelante. ¡Pero sea sincera! Incluso si alguna vez se come un helado enorme o una tableta de chocolate, o si en una fiesta bebe algunos vasos de vino tinto –tampoco es tan malo–. Lo importante es que no tenga remordimientos y que lo anote todo. Esto le será muy útil para evaluar sus hábitos alimenticios de un modo realmente objetivo; para que –si es necesario– pueda efectuar algunos pequeños cambios de rumbo.

Lista de puntuaciones positivas y negativas

Dado que usted no es ninguna especialista en nutrición, ni quiere convertirse en una profesional de este tema, para poder evaluar correctamente los alimentos que engordan y los que van bien para mantener la línea necesitará una sencilla lista con valoraciones positivas y negativas. Le será de gran ayuda al ir a la compra, en el restaurante y a la hora de cocinar.

En la lista negativa se incluyen todos los alimentos que engordan.

En la lista positiva incluirá todos aquellos que, teniendo un sabor similar, no engordan y pueden emplearse como sustitutivos. Entre los productos que más engordan se encuentran las grasas del tipo de la mantequilla y los carbohidratos de cadenas cortas, como el azúcar y la harina blanca.

- Por tanto, los alimentos básicos que recibirán una severa puntuación negativa destacan todos los productos elaborados con harina blanca, como el pan de molde, las tostadas, los panecillos y la repostería.
- Obtienen una puntuación positiva: el pan integral, los productos elaborados con harina integral (como pasta integral, pan de carraón) y el arroz (salvaje) con cáscara.
- Doble puntuación negativa para el azúcar blanco y los dulces.

La combinación de grasa más azúcar es nefasta y hace engordar mucho porque la secreción de insulina (como reacción al azúcar) hace que la grasa se acumule directamente en las células del tejido adiposo. Por tanto, doble puntuación negativa para:

Las calorías migran a las reservas de grasa

- Chocolate: especialmente el blanco y los bombones. El chocolate negro con una elevada proporción de cacao (más del 70 por ciento) contiene menos azúcar. Su elevada concentración de polifenoles, que capturan a los peligrosos radicales libres, hacen que sea relativamente saludable.
- Alimentos ricos en azúcar, como mermeladas, helados, cremas, pasteles...

Lo mismo se aplica a las bebidas dulces. Por tanto, un punto negativo para:

- Refrescos, colas y otras bebidas gaseosas. pero también para zumos de frutas y néctares con azúcar añadido.
- Y un clarísimo punto positivo para el agua mineral y los zumos naturales sin aditivos.

Paso 7: El «swingjogging»

A la hora de quemar grasas es imposible prescindir de los auténticos clásicos en el tema del fitness: el jogging (correr) se ha convertido en el método más empleado para poner en plena forma el cuerpo, la mente y la figura. Quizá a algunos no les convenza mucho la idea de sudar sus grasas corriendo. Pero de lo que no hay duda es de que es un método eficaz y fácil de organizar. Los adictos a este deporte lo alaban: ¿Sabía usted que correr nos hace sanos, potentes, felices, despiertos y sexys? ¿Y por qué no viene a correr con nosotros? Quizá se deba a que sencillamente le parece demasiado monótono correr por el parque.

Por suerte ahora existe una variedad que se está poniendo rápidamente de moda y que resulta más divertida: el «swingjogging». Consiste en correr con música –pero también es mucho más que eso–. La música se elige para optimizar el ritmo de la carrera y para así eliminar la grasa lo antes posible. Pero antes repasemos las reglas básicas del correr:

Un buen cambio

▶ **Respirar suavemente:** Al principio, corra despacio para que de ningún modo vaya a quedarse sin respiración.

▶ **Alternar:** Los primeros días puede alternar frecuentemente el correr despacio con caminar deprisa. La palabra mágica es hiperventilación. Solamente corriendo lentamente logrará que los 70 billones de células de su organismo reciban un refrescante baño de oxígeno. Esta carrera

corta elimina grasa inmediatamente y (al contrario que correr velozmente) no consume las reservas energéticas del organismo, el glucógeno.

El ritmo de la música se puede aprovechar para correr

▶ **No sofocarse:** Mientras sea capaz de explicar un chiste o reírse de alguna ocurrencia mientras corre será señal de que se encuentra en el margen correcto (aeróbico) de velocidad.

Música como marcapasos

Si ya ha asimilado todo lo importante, ya está a punto para lo especial de swingjogging. El secreto está en no escuchar cualquier música mientras se corre.

Muchas personas corren oyendo música en su Walkman. Pero instintivamente suelen elegir canciones cuyo ritmo es tan distinto del paso que no molestan para correr. En es-

Ritmo para profesionales

tos casos, la música no es más que una distracción para hacer más llevadero el esfuerzo de correr.

Pero en el swingjogging se trata de algo muy distinto: aquí se emplea la música para marcar el ritmo al que se corre. Los corredores profesionales ya hace algún tiempo que emplean este método. Llevan unos auriculares para escuchar un determinado compás, un «tictac». Pero esto tiene el inconveniente de que el sonido es muy aburrido. Puede mejorarse. Para ello usted solamente tiene que adaptar su ritmo (que estará orientado hacia la meta concreta de los ejercicios de ese día) al de su música favorita. Y esto le aportará varias ventajas: Su estilo se volverá más uniforme y armonioso, y lo pasará mejor corriendo (mayor secreción de serotonina). Además, correrá de un modo más controlado.

Si practica el jogging deberá controlar su pulso

Calcule su número ideal de pasos

Para poder practicar el swingjogging deberá empezar por calcular cuál es su número ideal de pasos tanto para correr como para el entrenamiento más intensivo. Para ello deberá establecer su número individual de pasos por minuto. Dado que cada corredor tiene una altura diferente y no todos tienen las piernas de la misma longitud, este número variará de uno a otro. Por tanto, usted deberá establecer cuál es el suyo. Se hace así:

- Corra durante 15 minutos en carrera continua sobre una superficie plana de modo que se sienta a gusto. Cuente todas las veces que sus pies tocan el suelo.
- Repita la cuenta dos veces más en días consecutivos.
- Calcule el promedio de los resultados de esos tres días. Para ello no tiene más que sumar todos los pasos y dividir el resultado por tres. Ahora divida esta suma por 15 y obtendrá

El ritmo de su música favorita

Para calcular los compases de su música favorita deberá hacer lo siguiente: cuente durante 15 segundos el ritmo de los instrumentos (de percusión) y multiplíquelo por 4.

su número ideal de pasos por minuto para carrera y carrera intensiva.

Definición de intensidad de carrera

También se puede ir más despacio

Normalmente este valor se sitúa entre 130 y 170, pero varía en función de la intensidad de carrera que usted defina para cada día en particular.

Paso de regeneración: Es la intensidad de carrera más suave, y usted mantendrá un ritmo cardiaco inferior al 70% de su valor máximo. El valor máximo del ritmo cardiaco se puede calcular según la fórmula: 220 – edad en años. La música ideal será de unos 30 compases por debajo de su número ideal de pasos. Si su número ideal de pasos es de 160, el ritmo musical deberá ser de 130 compases/minuto. Entre estas melodías se encuentran:

- *Daylight in your eyes* (No Angels): 132 compases/minuto
- *Sorry seems to be...* (Elton John): 132 compases/minuto
- *Waiting for tonight* (Jennifer López): 132 compases/minuto
- *Venus as a boy* (Björk): 136 compases/minuto

Naturalmente, si desea ser algo más rápida deberá elegir las canciones adecuadas. Para una carrera continua y suave (ritmo cardíaco máximo entre 70 y 90%) hace falta una música que eleve su número de pasos a 160. Como por ejemplo:

- *Message in a bottle* (Police): 160 compases/minuto
- *Paperback writer* (Beatles): 160 compases/minuto
- *Good vibrations* (The Beach Boys): 156 compases/minuto
- *Crocodile rock* (Elton John): 160 compases/minuto
- *It ain't over till it's over* (Lenny Kravitz): 160 compases/minuto
- *Eternity* (Robbie Williams): 160 compases/minuto

Así no se queman grasas

Los ritmos más altos no son adecuados para quemar grasas con el jogging, ya que no se encuentran en el ámbito aeróbico. Dado que se trata de un deporte bastante agotador deberá cuidar de no quedarse sin respiración.

Paso 8: Accionar el interruptor de paro

El octavo paso de este programa consiste en concentrarse en dejar de comer a tiempo –y sin tener la sensación de retirarse con protestas en el estómago–. Para ver claramente cuánto ha de comer para llenar su estómago: Cierre el puño. No, no por frustración, porque ahora va a necesitar un poco de autodisciplina, sino para ver claramente lo siguiente:

Medidas como puños

En estado normal (vacío) su estómago tiene aproximadamente el tamaño del puño. Por tanto, podría llenarlo con una cantidad de comida relativamente pequeña. Ahora ya sabe cómo han de ser las raciones: aproximadamente el contenido de dos tazas.

Naturalmente, el estómago se dilata cuando comemos. Y si usted come en exceso éste se acostumbrará a sobredilatarse. Pero también puede entrenarlo para que se contente con menos cantidad (pero con alimentos más sabrosos, frescos y nutritivos). Aunque también es posible que en algún momento vuelva a las andadas y pida «¡más!»: con la medida del puño usted siempre sabrá cuál es la cantidad que ha de comer.

¡Comer menos sin dejar de ser feliz!

Pasemos a ver algunos trucos y sugerencias que le permitirán comer cantidades más reducidas sin sentirse frustrada:

- **Parar antes:** No espere a estar completamente «llena» para dejar de comer. Si lo hace es señal de que habrá ingerido bastante más de la cuenta.
- **Dejar los cubiertos:** Acostúmbrese a dejar los cubiertos en el plato después de cada bocado y mastique concentrándose en lo que hace. No

Llenar meno[s] el plato es bueno para [la] línea

vuelva a coger los cubiertos hasta que tenga que ir a por el siguiente. Así aprenderá a comer de un modo más lento y consciente.

- **Fuera ollas y cazuelas:** Sirva los platos en el lugar en el que haya preparado la comida; si es en casa, en la cocina.

Si pone fuentes o cazuelas en la mesa éstas no harán más que invitarle a repetir o a acabar lo que quede en ellas, aunque en realidad ya no tenga más hambre.

- **Media ración/tiempo entero:** Acostúmbrese a servirse en el plato la mitad de las raciones habituales. Pero tómese el mismo tiempo que siempre para comer y empléelo en masticar lentamente cada bocado. Paladee cada bocado y disfrute de su sabor y su consistencia.

- **Una comparación delicada:** Cuando ya se haya tragado la comida, espere todavía unos instantes y recuerde cuál era exactamente su sabor.

Ahora haga una prueba comparativa: ¿Qué otros platos le recuerdan lo que acaba de comer? ¿En qué se basan las similitudes? ¿Cuáles son las sutiles diferencias? Basta con que piense en eso para que empiece a comer más lentamente, disfrutando de la comida y, al mismo tiempo, en menos cantidad.

- **El resto se queda:** Acostúmbrese a dejar siempre un poco en el plato. Por muy bueno que sea lo que esté comiendo. Así indicará a su subconsciente: no tengo que comérmelo todo (por costumbre o por motivos sociales) ni nadie me obliga a dejar el plato limpio. Estaba muy bueno, ¡pero ya es suficiente!

- **Recoger:** Después de comer, guarde inmediatamente todas las sobras en la nevera. Así evitará volver a picar un poco.

Ninguna tentación para la vista

- **Saltarse los convencionalismos:** Acostúmbrese a no vaciar el plato ni siquiera cuando le hayan invitado a comer (si lo desea, hay otros aspectos que pueden dar rienda suelta a sus instintos animales). De todos modos, lo mejor es que empiece por no llenarse demasiado el plato.

- **¿Reservas? ¡Eso no funciona!** Debe comprender que no puede comer para acumular reservas. Si ya ha saciado su apetito (o podría haberlo saciado) y sin embargo sigue comiendo, lo superfluo, impulsado por una enérgica secreción de insulina, se acumulará en el vientre y en las caderas. Por tanto, la sensación de saciedad no se conserva durante mucho rato. El organismo necesita (y solicita) un suministro regular de nutrientes, pero no un aporte masivo.

¡Prohibido picar!

Menos es más

Un estudio ha demostrado que menos es más. 60 mujeres voluntarias fueron distribuidas en dos grupos. Todas recibieron exactamente lo mismo para comer. La única diferencia era ésta: las del primer grupo recibían sus calorías diarias repartidas en cinco comidas pequeñas, las del otro en dos comidas grandes. Resultado: las que comían 5 veces al día adelgazaron mientras que las que comían 2 veces diarias engordaron. Si quiere pertenecer al grupo de las que adelgazan, siga estos consejos:

Cantidades pequeñas y repartidas

- Sus raciones serán las correctas si al cabo de tres o cuatro horas vuelve a tener hambre. Éste es el tamaño de las raciones que deberá consumir cinco veces al día.
- Coma un poco de pan integral antes de cada comida. Así el organismo empezará a segregar enzimas y hormonas digestivas. Efecto: ya no tendrá tanto apetito a la hora de comer.
- Si come demasiado tarde, las células grasas la castigarán. A partir de las 18 horas el cuerpo apenas necesita 400 kilocalorías más. Cualquier exceso acabará acumulándose en su barriga, muslos o caderas. Por tanto, procure cenar antes de las 18 horas si esa comida es la reunión familiar más importante del día.
- ¡No coma nunca viendo la tele! Y no nos referimos solamente a patatas fritas y cacahuetes. Tampoco es

Puede disfrutar viendo la tele sin tener que picar nada

SUGERENCIA

¡No beba el agua mineral a «palo seco»! Regar el estómago con agua pura es algo muy poco estimulante para los sentidos. Ponga en el vaso un par de cubitos de hielo, añada un poco de limón y tendrá la sensación de estar tomando una bebida mucho más «completa».

¡Nada!

conveniente comer alimentos frescos y sanos ante el televisor. De lo contrario programará su subconsciente para «comer en cuanto se ponga la tele».

¿Realmente tiene hambre?

A veces cree que a lo mejor tiene hambre, pero en realidad lo que tiene es sed. Porque la falta del estímulo dilatador del estómago «vacío» no siempre se debe a una falta de comida, sino que también se puede compensar perfectamente con líquidos. En estos casos, lo ideal es beber algunos líquidos bajos en calorías. Dilatarán las paredes del estómago, incluidas las sensibles terminales nerviosas, y el cerebro recibirá una señal de saciedad –y la sensación de vacío en el estómago desaparecerá sin que sea necesario llenarlo con calorías superfluas–. Por tanto, si tiene un ligero ataque de hambre bébase antes un vaso de agua mineral o una infusión de frutas.

eber también
ıcia el apetito

Paso 9: La moda americana: «Run for fun»

Esta nueva moda también nos llega de Estados Unidos: incluyendo algunas ligeras variantes convierte el jogging en una actividad algo más artística e interesante. La buena noticia: Con estos ejercicios, la grasa se funde igual que la nieve a pleno sol. Pero es un deporte que requiere mucha energía. Por tanto, las personas con un IMC superior a 30 deberán empezar con sesiones de cinco a diez minutos y luego aumentar progresivamente su duración.

Una forma divertida de correr

Empiece por correr cien metros con normalidad, despacio y relajadamente. Luego corra como el Pato Donald:

Acortar los pasos

- Dé pasos cortos como los de un futbolista regateando con el balón. Apoye el pie sobre el talón y efectúe un movimiento de rotación sobre la planta hasta llegar a los dedos.
- Cuando finalice el movimiento de rotación del pie, doble la pierna de modo que el muslo quede en un ángulo de 45° respecto a la pelvis. Esto hará que se mueva «como un pato», de ahí el nombre.

▸ Los brazos también estarán flexionados hacia abajo en un ángulo de 45° y oscilarán junto con la pierna del mismo lado (no con la del lado opuesto, que es lo que se hace en el jogging clásico).

Todos estos movimientos harán que su forma de correr parezca un poco extraña, pero consumen mucha energía y la grasa se funde. Sus acumulaciones de grasa disminuirán incluso si camina de este modo sin moverse de sitio o si recorre distancias relativamente cortas.

Saltar bailando

Vuelva a correr cien metros con normalidad y luego empiece a bailar saltando.

▸ Vuelva a rotar el pie desde el talón hasta los dedos.

▸ Al finalizar el movimiento de rotación, levante enérgicamente la punta del pie y alce también el brazo de ese mismo lado, que debería estar oscilando relajadamente.

▸ En este movimiento de avance, la rodilla de la otra pierna deberá estar en ángulo de 90° con respecto al tronco (erecto).

El resultado es un movimiento a saltos en el que a cada paso se eleva unos 20 cm del suelo. Aterrice suavemente sobre la punta del pie de la pierna con la que ha saltado, y hágalo con la otra.

Como Charlot

Una forma divertida de correr

Vuelva a correr cien metros con toda normalidad y luego pruebe esta variante:

▸ Ahora, a cada paso intente hacer que el pie y la pierna oscilen todo lo posible hacia atrás en dirección a las posaderas.

▸ Los brazos deberán oscilar enérgicamente con la pierna del lado opuesto. El tronco se mantiene erguido.

El resultado es una forma muy curiosa de correr, cuyos movimientos recuerdan los del genial Charles Chaplin. Aquí se ejercita mucho la musculatura de la pierna y del muslo, por lo que se consigue quemar muchas grasas.

Paso 10: Concédase algún «capricho»

¿Cómo? Acaba de leer todo lo que adelgaza y lo que engorda, ¿y ahora le aconsejan que ceda a las tentaciones de comer dulces y otras chucherías? No, no sin control. ¡Pero sí de vez en cuando!

¡No se prohíba los ataques de hambre!

Según las últimas investigaciones realizadas en Estados Unidos, se come mucho menos cantidad de

Sin abusar

aquellos alimentos que apetecen de modo compulsivo, si se cede inmediatamente a la tentación y no se intenta frenar el impulso. ¿Qué puede aprender usted de esto? ¿Que a partir de ahora comerá en cada momento lo que más le apetezca? ¡Falso! Existen algunos trucos para no caer en la trampa de los ataques de hambre compulsiva:

- Describa sus tentaciones con precisión: Pregúntese sinceramente si realmente quiere o necesita comer aquello en lo que sueña. ¿O es que solamente busca una determinada sensación y este alimento de algún modo se la proporciona? Entonces quizá exista algún otro medio para calmar esa apetencia. Es necesario que llegue a un compromiso consigo misma: tiene que buscar por lo menos una alternativa para calmar de otro modo esa necesidad (camuflada como un intenso apetito) en vez de asaltar la nevera o correr al primer restaurante de comida rápida.

¿Hay algún sustituto?

¿Le apetece mucho una pizza? Dese un pequeño placer de vez en cuando

- Satisfaga sus necesidades de otro modo: ¿Quizá no le apetece un plato en concreto, sino que lo que le apetece es experimentar una determinada sensación, como «dulce»? Entonces, a lo mejor puede saciarla con miel en vez de con chocolate, y experimentar la misma satisfacción.

Pregúntese: ¿De qué se trata exactamente?

Aunque de vez en cuando pueda ceder a sus tentaciones de comer, considere también lo siguiente: ¿Puede ser que en realidad necesite otra cosa diferente a la comida? ¿Que alguien se muestre cariñoso con usted o que la consuelen por algo? ¿O quizá necesita sentirse más reconocida? No es necesario que saque consecuencias inmediatas de esto. Deje que la idea vaya cuajando en su interior y vaya pensando en alguna posible solución.

▸ Pecar en un sentido determinado: Una vez haya identificado el objeto de su deseo compulsivo, si no encuentra ninguna alternativa válida será mejor que ceda a sus ganas de comer. Y de inmediato: pero con una orientación clara: ¡Coma exactamente lo que tanta ilusión le hace, pero absolutamente nada más.

Por tanto, no se prohíba a rajatabla todos los placeres del paladar (que engordan). Pero limite sus «escapadas» de modo que no vaya a consumir un exceso de calorías inútiles.

▸ Imponga las ideas positivas. Si se muestra demasiado estricta y la invaden los remordimientos solamente logrará satisfacer parcialmente sus apetencias. Esta sensación acabará grabándose en su cerebro y pronto volverá a tener los mismos deseos... Por tanto, ¡si lo hace, que sea verdad!

Disfrute de una pequeña ración

▸ Limitar: De todos modos, usted puede autolimitarse. Llegue a un acuerdo consigo misma; por ejemplo, permitirse dos pastillas de delicioso chocolate con nueces. Luego corte exactamente estas dos pastillas y vuelva a guardar el resto de la tableta.

Estos diez pasos, junto con las técnicas mentales, constituyen el mejor método para ser delgada para siempre. A continuación veremos algunas estrategias para la vida cotidiana que le facilitarán un poco más las cosas.

17 consejos para adelgazar

Usted puede ayudar aún más a su psique y a la vez conseguir mantener sin dificultad su figura soñada.

Algunos de estos consejos ya los hemos mencionado anteriormente, pero son tan importantes que volvemos a insistir en ellos. Otros son nuevos, pero igualmente decisivos para que tenga éxito en sus propósitos.

▸ **Desconectar:** Llega a casa cansada del trabajo, deja el bolso y... rápido, a comer algo lo antes posible... ¡Error! Empiece por relajarse durante cinco minutos. Sin ningún control estricto: cuente los primeros segundos hasta 20... luego mire el reloj. Así evitará que su cuerpo ingiera alimentos en plena acción de las hormonas del estrés. Los acumularía inmediatamente.

▸ **Siempre hay que empezar por sentarse:** ¿Come de pie, o andando, incluso de paso? ¿O va con tantas prisas que ni siquiera puede sentarse? Por tanto, acostúmbrese férreamente a lo siguiente: «¡A partir de ahora sólo comeré sentada!». Esto le ahorrará muchas calorías.

Nada de guardar reservas

▸ **No haga como su hámster:** Puede estar segura de que su mente es lo suficientemente fuerte para hacerla adelgazar. Pero póngaselo un poco más fácil; no almacene alimentos que no necesita para nada. Pues cuando vuelva a surgir algún problema volverá a comer, y si usted se enfada, su organismo segrega cortisol... Y esto es mejor que no suceda, ¿no?

▶ **Concentración total:** ¿Es usted una de esas personas que se vanaglorian de ser capaces de hacer muchas cosas a la vez? ¿Discutir por teléfono, dar instrucciones a la secretaria y a la vez tomar notas de otro asunto? ¡Estupendo! Pero por lo que respecta a la comida, engorda. Acostúmbrese a esto: ¡cuando come, coma! Es decir, mastique, saboree, paladee ¡y no haga nada más!

▶ **Prohibido tener remordimientos:** Si se arrepiente por todo es que tiene el subconsciente mal programado. Estará esperando el momento de encontrarle un punto débil y le atacará con fuerza. Y entonces todo se desmoronará. Es mejor que de vez en cuando se permita su plato favorito, aun cuando contenga algunos de esos ingredientes que tanto engordan. Pero considérelo como un acontecimiento y celébrelo a conciencia con todos los sentidos, y luego concédase también una ración extra de deporte. Así quemará el exceso de calorías.

¡Todo está permitido!

▶ **Lavarse los dientes:** Un saludable ritual que también le aconsejaría su dentista: ¡Lávese los dientes después de cada comida! En su subconsciente, esto señala que «¡Se acabó. Ya no hay nada más!»

▶ **Proteínas:** Vigile que su concentración de proteínas en la sangre sea lo suficientemente elevada; de más de ocho gramos por decilitro (su médico se la puede medir). Por este motivo es conveniente consumir pescado de mar fresco tres veces a la semana. Es muy rico en proteínas.

▶ **Más cosas del mar:** También es bueno consumir marisco con frecuencia, especialmente ostras, gambas, camarones, etc. Son alimentos muy ricos en cinc, que es un oligoe-

Un partido de tenis la ayudará a quemar el exceso de calorías

lemento que el organismo necesita para poder sintetizar testosterona.

Adios al alcohol: El alcohol hace bajar el nivel de la DHEA. Éste es uno de los motivos por los que el consumo diario de alcohol no sólo produce cansancio, irritabilidad y estados depresivos, sino que además provoca obesidad... e impotencia.

El éxito y el sexo, ¡ambos hacen adelgazar!

Los siguientes puntos podemos incluirlos en el grupo de las buenas noticias.

El éxito adelgaza: Propóngase una meta fija (posible) para cada día, para cada semana y para cada mes, e intente alcanzarla sin compromiso. ¿Por qué adelgaza? Porque cada vez que experimente la sensación de «¡Finalmente, lo conseguí!», aumentará su nivel de testosterona, que es la hormona que hace aumentar los músculos y funde las grasas.

Las metas alcanzadas siempre son de gran utilidad

El sexo adelgaza: Una relación sexual satisfactoria hace que el nivel de testosterona se mantenga elevado durante más de 48 horas. Y en más de un 50%. Esto tendría que ser un estímulo adicional, ¿o no?

Manténgase fresca por la noche: La temperatura del dormitorio debería ser de unos 20 °C. Es la temperatura que estimula a la hormona del sueño, la melatonina. Así alcanzará antes la fase de sueño profundo en la que se activa la hormona del crecimiento, HGH, y empieza a quemar grasa.

Y, para acabar, elimine los pensamientos negativos

Para finalizar, permítame darle algunos consejos que proporcionarán a su mente la fuerza necesaria para mantenerse firme en sus progresos hacia la figura ideal. Elimine los pensamientos negativos y evite cualquier influencia exterior negativa:

Anímese a sí misma: Imagínese por unos minutos a su cantante favorita: de Madonna a Britney Spears y... luego cite por lo menos cinco de sus características que más le gusten. ¿No cree que Madonna (¿la ha visto alguna vez sin maquillaje?) tiene algunos kilitos de más, y que lo mismo sucede con la exvirginal Britney? Al final, dígase en voz alta a sí misma «Yo no soy perfecta , ¡pero estoy bien así como soy!»

Potencie su autoestima: Muchas mujeres absorben como esponjas cualquier crítica que se pueda hacer a su cuerpo y las interiorizan; y esto incluso aquellas que parecen sentirse tan seguras de sí mismas. Las observaciones tales como «¡Vaya, has vuelto a engordar un poquito!» les llegan al alma. ¡Y esto no es nada bueno! Por tanto, evite discusiones acerca de estos temas. Tenga en

No haga caso las críticas

cuenta que esas personas pueden tener problemas que usted no conoce, o que incluso se sientan orgullosas de lo que ya han logrado adelgazar.

Para no reaccionar de un modo tan sensible, créese un escudo protector mental. Imagínese que lleva puesto un impermeable interno sobre el cual resbalan todas las expresiones negativas como si fuesen gotas de agua.

▶ **Afronte directamente sus temores:** ¿Hace ya más de tres años que no se pone su bikini o su traje de baño favorito porque no quiere mostrar esa grasa que usted (supone que) tiene? ¿En verano se oculta bajo una amplia camiseta en vez de ponerse un top de moda? ¿Y todo por el mismo motivo? ¡Se acabó! Ahora usted está delgada o está en vías de serlo. ¡Y tiene amor propio! Por tanto, si aún le quedan algunos temores residuales ocultos en un oscuro rincón de la mente, es el momento de efectuar un pequeño tratamiento de autoayuda. Se trata de enfrentarse frontalmente a sus miedos. Acuerde consigo misma que el próximo fin de semana va a ir a la piscina. Y ese día se pondrá el bikini o traje de baño más extremado que tenga en el armario. Si todavía le cuesta un poco hacerlo, póngase un pareo en la cintura o cómprese un bañador nuevo que le parezca más adecuado para su figura. Lo importante es que se anime a volver a nadar, es decir, a mostrarse ante la gente con poca ropa. De este modo aprenderá a superar sus antiguos temores.

Acuérdese de ser «tal como es»

Espejito, espejito: Sinceramente, ¿sigue pasando mucho rato ante el espejo compadeciéndose de sí misma?

Si todavía no logra evitarlo, entonces póngase un límite determinado: tres minutos al día y nada más, exceptuando la «toilette» matinal. ¡Eso ya es más que suficiente!

Y ahora, a disfrutar de su nueva figura y de su nueva vida.

Aunque todavía no haya alcanzado las medidas ideales, no es necesario que esconda su cuerpo

Acerca de este libro

A la hora de perder definitivamente esos kilos de más, las dietas «maravillosas» y las pastillas para adelgazar no sirven absolutamente de nada. ¡El proceso de adelgazamiento se inicia en la cabeza! Con la ayuda de las técnicas mentales no sólo se consigue programar el cerebro, sino también el resto del cuerpo. Porque el círculo vicioso de frustración y comer, saborear y remordimiento, prohibición de comer y control de peso, solamente se puede romper si existe una verdadera motivación, un cambio mental respecto a uno mismo que nos haga reconocer las propias «trampas alimenticias» y los bloqueos psíquicos que nos impiden adelgazar.

Esta guía práctica ofrece un método para adelgazar que se basa en una serie de ejercicios mentales especialmente concebidos para conseguir ese «¡kilos fuera!» que tanto nos interesa.

- Sabrá cuáles son los mecanismos psíquicos que a lo largo de su vida le han hecho ir acumulando grasas.
- Descubrirá cuáles son las hormonas que intervienen en el proceso de adelgazamiento y cómo se puede sacar provecho de ellas en una dieta.
- Encontrará un test que le permitirá determinar cómo come usted y cuáles son los bloqueos internos que hasta ahora le han impedido adelgazar o que incluso han «saboteado» cualquier intento anterior.
- Podrá conectar su programa de «delgado» mediante sencillas técnicas mentales, como por ejemplo visualizaciones, autosugestión, pensamiento positivo y ensoñaciones dirigidas. Todos los ejercicios se pueden combinar fácilmente entre sí y se integran perfectamente en su vida cotidiana.
- Se dará cuenta de que de repente le resulta divertido alimentarse de una forma sana y hacer deporte . Este libro también le ofrece numerosos consejos y sugerencias al respecto.

Acerca del autor

El Dr. Frank R. Schwebke está especializado en neurología y psiquiatría. Después de seguir los estudios de periodista trabajó en el grupo editorial Bertelsmann, como corresponsal del FAZ y como redactor jefe de la revista «Gesundheit». Frank R. Schwebke vive en Munich, trabaja como periodista especializado en temas científicos y escribe habitualmente en la revista «Bunte». Ha escrito varios libros de esta misma colección.

Índice alfabético

Índice alfabético

IMPORTANTE

Los conocimientos, métodos y sugerencias que aparecen en este libro muestran las opiniones del autor. El autor ha revisado este libro a fondo en función de sus conocimientos actuales. Pero éste nunca podrá sustituir la visita a un médico competente. Las lectoras y lectores de este libro son responsables de cualquier acción que pudiesen emprender animados por este libro.
Ni el autor ni la editorial están en condiciones de aceptar ninguna responsabilidad por los posibles daños o efectos secundarios que pudiesen derivarse de seguir las indicaciones prácticas que se exponen en este libro.

Título de la edición original: **Abnehmen mit Köpfchen.**

Editorial Hispano Europea, S. A.
Primer de Maig, 21 - Pol. Ind. Gran Via Sud
08908 L'Hospitalet - Barcelona, España.
E-mail: hispanoeuropea@hispanoeuropea.com

Depósito Legal: B. 1355-2006.

ISBN: 84-255-1647-1.

Consulte nuestra web:
www.hispanoeuropea.com

Fotografía
Action Press, página 10
Corbis, páginas 6/7, 13, 25, 37, 38, 41, 59
Gettyimages, páginas 26, 29, 30, 33, 64, 68, 84, 92/93, , 95, 101, 116
Archivo GU, página 19 (estudio Schmitz), 21, C4 (N. Olonetzky), 102 (L. Lenz)
Jump, páginas 42/43, 45, 47, 52, 60, 67, 71, 72, 75, 76, 83, 87, 98, 107, 112, 121, portada
Mauritius, páginas 23, 49, 55, 56, 63, 80
Photonica, páginas 50, 114
Premium, páginas 4, 34
Stock Food, páginas 104, 109
Zefa, páginas 9, 14, 15, 16, 78, 82, 88, 97, 111, 119, 123

IMPRESO EN ESPAÑA PRINTED IN SPAIN
LIMPERGRAF, S. L. - Mogoda, 29-31 (Pol. Ind. Can Salvatella) - 08210 Barberà del Vallès